LUCIFERO

FANTASIA ROMANT

ADELIA

PLAUTO E IL SUO TEATRO

RIBELLIONE

Ulisse Barbieri

Texte et illustration de couverture : © domaine public
Edition : Culturea (Hérault, 34)
Contact : infos@culturea.fr
Retrouvez notre catalogue sur http://culturea.fr
Imprimé en Allemagne par Books on Demand
Design typographique : Derek Murphy
Layout : Reedsy (https://reedsy.com/)

Dépôt légal : janvier 2023
Tous droits réservés pour tous pays

ISBN : 9791041970988

PARTE PRIMA

Luce e Tenebre

UNO STRANO MAESTRO

Erano scorsi trecento e più mila anni dacchè il mondo non era più. — Nel vortice dei secoli erano state travolte cose ed eventi, e l'uomo e le memorie delle infinite colpe e di qualcuna virtù, che nella tenebría dei tempi splendette come stella in notte procellosa.

Colle tante ceneri sparse sulla terra riposavano le mie, e certo all'alito increscioso della vita non avrei creduto si ridestassero; ma vedi stranezza o potenza dei fati, come ciò più ti piacerà chiamare!... Io mi sentii vivo, quando meno me lo pensavo.... tanto che, trovatomi molto incomodo sotto ad un mondezzajo, dove stavo probabilmente per tramutarmi in chi sa qual sorta d'animale, o forse dato, era concime, a pastura di qualche angolo d'ortaglia, mi agitai da ispiritato cercando modo d'uscirne. Ma facil cosa non era, che sebbene mi sentissi vivo, mi sentiva vivo in modo da non esser come prima composto di stinchi ben architettati così da fare del corpo un discreto arnese. Ben mi sentivo in quella vece come una cosa indefinita.... mi sentivo far parte della materia sotto cui mi giacevo.... mi parea che ad ogni movimento più mi vi addentrassi, nè potessi trarmi a parte, e che a forza di spingere, (come potessi spinger non so che) non avessi nè braccia, nè gambe, nè capo: tanta era la forza della volontà. Mi sentiva intanto vagare dentro a quella materia, e correr lunghi tratti di spazio, come chi nuoti sott'acqua.... ond'io forza aggiungeva a forza, nè mai a capo venìa di nulla, che sempre mi sentiva immedesimato colla materia, come fosservi in me tante molecole smembrate sparse per tutta la vastità del globo.... Mi parea d'aver percorse così centinaja e centinaja di miglia. Mi parea coll'esser mio d'aver abbracciato tutto quel tratto di spazio.... S'io dovessi così errare sotterra o giungere a un punto dove sbucar fuora, era quello che mi chiedevo impensierito da quello strano caso, che mi facea trovare così all'improvviso, vivo, sotterra e con tal smania d'uscirne, da farmi parere ogni attimo di tempo la continuazione d'un'agonia, a cui desse vita non so che stramba fantasticheria di speranza, che io ben non sapeva comprendere.

Amico lettore!... sei tu disposto a tenermi dietro, per quanto ti sembri che la mia matta fantasia abbia voglia d'imbizzarrire?...

La gran bella cosa, dissi un giorno fra un lieto crocchio d'amici, saria quella di morire ultimo e spettatore della distruzione dell'universo scorrerne poi la deserta scena!... interrogando come già Amleto la scienza della vita, la farsicomicotragedia mondiale!...

Nè ciò ti sorprenda lettor mio, perchè se mai ti capitò per mano qualche mia cianfrusaglia gettata là.... nel turbine dell'oceano letterario a farvi la sua comparsa d'un giorno, vi avrai traveduta questa matta idea, che anzi ti vo' dire aver terminata una mia poesia con questi versi alquanto strambi e non troppo belli da citare ad esempio.... cosa che non avrei fatta se non vi si annodasse il filo di questo mio racconto.

E quando l'uman genere

Sia sfracellato e sperso,

In una tomba putrida

Converto l'universo,

Poi schiusa la voragine

Che tutto inabissò

Gigante fra quei lugubri

E sconquassati avanzi

Delle viltà, dei triboli

Che sussistèro dianzi,

Ultimo alla catastrofe

Un brindisi alzerò!

Dice un proverbio tradizionale dei villici — Se le orecchie dei santi rifuggono da certi voti e da certe parole, appunto per questo le raccoglie il Diavolo. Cosa per cui essi aran dritto, nè si permettono voli di fantasia, che potessero farli inciampare nel temuto messere che fa far tanto d'occhi, quando dal buon lor pievano se lo sentono dipingere colle corna di fuoco, colle lunghe unghie ricurve, col petto irto di pelo, e colla terribil forca che brandisce a guisa di scettro. Nè stramberie siffatte io le pensai nemmeno, seppur le dicessi tanto per far scappare qualche vecchia intenta alla sua rocca in casa di mio zio, che si fè più d'una volta, al vedermi, il segno della croce come se davvero io fossi il diavolo. Bisogna però dire che l'accennato messere mi desse retta e che sul suo libro scrivesse questo mio voto.... ed è ciò che vengo a narrarvi.

CORO DI SPIRITI INFERNALI.

Satan, satan!!... da queste bolgie eterne

S'alzi di gioja un canto!...

Alfin ruine e pianto

È la terra, e i viventi, e le superne

Volte del Ciel nel vorticoso impeto

Oscillan negli spazj. La Divina

Fra tutto distrugge!...

Ne' gorghi suoi rimugge

L'onda dell'oceano; di lor luce

Son scemate le stelle: è cupa notte,

Notte profonda che nel nulla adduce

Tutte cose quaggiù!...

Satan! Satano!...

Nella lotta feral degli elementi

Cui sol distrugger dato

È dal cenno terribil dell'Eterno,

O tutti voi d'Averno

Spiriti abitatori, all'opra uscite!...

6

Distruggete, straziate!... È larga preda

Offerta a voi!... Non riboccar mai tanto

Le vostre bolgie popolose e tetre

Di turba sì infinita!...

Si svolgono le pietre

Delle vette eminenti, e sibilando

Fendono l'aer cieco!...

Nei torrenti

Precipitan le quercie, ed ululando

Fugge dal bosco la smarrita belva!...

Rugge il leon nella spelonca o muore

Sotto quella schiacciato; si rinselva

Invan la tigre e l'upupa il ferale

Lungo suo strido innalza, e nel fatale

Decomporsi di quanto ebbe pria vita,

D'un gemito infinito

Echeggian gli spazj!.... Al seno stretta

La pargoletta sua, fugge la madre

Dal tetto elle rovescia, e le si affonda

Sotto ai piedi il terren; sovra la bionda

Chioma depone un bacio,

E l'ultimo sospiro

Scioglie, maledicendo col deliro

Convulso della mente, a chi dal nulla

sol la trasse a soffrir, nè gli fu letto

Di morte pria, la culla!...

L'amplesso estremo scambiasi il fratello;

Il micidial coltello

Stringe il nemico a vibrar pronto, e muore

La minaccia sul labbro, che, dar morte

Inutil opra vede, ora che incede

Fantasima imponente,

Inalterabil, cupa, e nella forte,

Destra brandendo la fatal bandiera,

Sulle ruine stassi del Creato

A sieder pronta!... La tremenda sera

Senz'alba più, è venuta!...

E trepidante, muta

L'universa famiglia il capo inchina

Nell'impossibil lotta!... La divina

Tra tutto distrugge!...

Ne' gorghi suoi rimugge

L'onda dell'oceano!... di lor luce

Son scemate le stelle!... è cupa notte,

Notte profonda che nel nulla adduce

Tutte cose quaggiù.... Satan!... Satano!...

Dall'ime vostre viscere

Scatenatevi o venti!... Ripercuota

L'eco a noi, negli spazj ogni lamento

Della terra e del Cielo!... Sovra i monti

S'accavallino i monti!... I mondi infrangansi

Balestrati nell'alto!... e stole e scettri

E quanti emblemi fur, d'empie e di stolte

Ipocrisie sparisca!...

E tutto nella prisca

Tenebria del nulla, al nulla nato

Torni il Creato!...

Al frastuono infernale di questo orribile canto che empieva le vaste latitudini dello spazio, io sentì di rifarmi. Pareami che tutta intorno a me si stringesse la terrea materia dentro cui mi trovavo e che a poco a poco mi venissi ricomponendo.... e fattomi corpo d'incorporea cosa qual m'era, urtai coi piedi contro una specie di coperchio resistente che cedette: Sorgi!... gridò una voce che parevami venisse dalle profonde viscere della terra ed abbracciasse tutta l'immensità di quel caos tenebroso, dentro cui stava ogni cosa.... E fu tal voce onde tutto tremò a me d'intorno.

Io non so come, mi trovai ritto ed immobile sovra una immensa pianura che doveva essere la terra, dacchè sentì che su essa poggiavano i miei piedi; un'aria fredda fredda mi intirizzì le membra, una cupa oscurità mi avvolgeva. Cercai il Cielo, sul mio capo non si stendeva che un nero ammasso di tenebre. Tenebre a me d'intorno, tenebre e silenzio; un orrido silenzio glaciale, più orrido della tomba. Era solo sulla tomba del mondo, dacchè il mondo era tomba e tutto.

Dopo un istante l'armonia disordinata, selvaggia, di quel canto che prima aveva udito, riprese, e la sentiva scendermi al cuore col brivido della paura. Era un urrà satanico di mille voci inneggianti alla distruzione che imponente dominava intorno a me.

Un vivo lampo eruttato come dal cratere di cento vulcani che ne formassero uno solo, mi accerchiò colle mille sue lingue di fuoco, ed in mezzo a questa vampa che tosto disparve, mi si mostrò una figura d'uomo, gigante e fiero; aveva l'occhio fulmineo, la chioma nera e ricciuta, tarchiato e snello, era lui complesso di forme maschie e in un dilicate.... Avea sulla fronte l'impronta dell'arditezza; sulle labbra erravagli un sorriso di beffa.

Che fosse il diavolo in persona il personaggio che mi stava davanti? Fu questo il primo pensiero che mi colpì, appena la mia mente rinvenne da quell'atonia in cui suole cadere lo spirito quando subisce l'impressione d'un avvenimento qualunque che si stacchi dal corso regolare dell'esistenza.

Pensai allora che Milton e Byron, affè!... non ebber torto dipingendolo quale l'hanno evocato dalle sue bolgie, e ben diverso da quello che han per vezzo di dipingere gli associati alla santa congrega, quasi a scenario della ridicola commedia del Cattolicismo!...

Era Satana difatti!... e ti confesso lettore che mi sarei sentito trasportare verso lui da un senso di simpatia, so non m'avesse dato qualche pensiero quel suo sogghignar di sotto a quelle nere e folte palpebre animate da un moto oscillante, tal che il suo sguardo mi parve un lampo che uscisse dagl'imi recessi d'un abisso, onde ne avevo abbaglio e sgomento!...

Ei si trasse dal seno una carta e silenzioso me la porse. Immaginatevi cosa vi lessi, e come strabiliassi in leggere, più che non si sgomentò Machbet, quando sul suo trono vidde assidersi l'ombra di Banco, o come la regina Antonietta d'Austria, quando richiesto un cavaliere mentre attraversava Parigi in poco propizi momenti, cosa intendesse fare il popolo per la guarentigia de' suoi diritti, questi gli mostrò infitta ad un palo la testa di un ministro, talchè dicesi prendesse odio alla parola libertà, che gli fu insegnata in sì strano modo, e non ci volle credere, malafede che trapelata al popolo pare lo persuadesse che non essendo bastato mostrargliene una, fosse bene tagliargliela, onde convincerla pienamente!...

Erano nientemeno che miei versacci scritti in non so qual matto ghiribizzo e dicevano così....

« Al Diavol vorrei darmi e mi darei

« Se quel ch'or m'è mistero ancor, potessi

« Mercè dell'opra sua, che dicon s'abbia

« Un talento precal; novello Fausto

« Nei misteri del Cielo e nelle strane

« Vicende della terra e degli uomini

« Gettar lo sguardo e interrogar d'impunto

« Quanti ha portenti il mondo.

E poi questi altri:

« È in me morta ogni fede; tutto è caso,

« Quanto qui s'avvicenda, ed ove e fosse

« Da un supremo pensiero il mondo retto,

« Il crederlo fia colpa, che sul labbro

« A Lui che del mal vive, alta bestemmia

« Sol ne verrebbe!...

Eccomi!... queste sole parole proferirono le sue labbra, che ripresero quel lor ghigno che tutto mi rimescolava il sangue nelle vene.

Io mi stetti confuso a riguardarlo, ed ei scorta quella mia trepidanza mi disse con far gajo; ti faccio io forse paura messer poeta?... Devo dirti che a quanti mi richieser dell'opera mia risposi sempre da compito gentiluomo, e a molti il puoi chiedere che più d'un discepolo m'ebbi, e a più d'uno dirozzai la cervice da matte fantasie che li facea tornar fanciulli e peggio che rimbambiti da aver paura degli orchi con cui la nutrice li addormentò nella culla!...

«Statemi un pò a sentire, maestro!... ribattei io, datemi un po di coraggio.... ben vedendo come all'incalzar suo dovessi opporre sagacia e fermezza. Dacchè siamo a questo incontro, sta bene quanto voi dite, e vi chiamo uomo d'affare compito, perchè vi munite di buoni materiali!... Ma.... stia pur ch'io abbia ciò scritto!... ed è stampato lo vedo.... ma è poi tutto Vangelo quello che si stampa, maestro mio!...

Io vi so citare di tante fanfaluche che dovreste avere un ben ampio registro da scrivervele, e non le capireste.

E poi!... vi state a credere sul serio che i versi d'un poeta, valgano come una scritta da mercante?... Siete uomo troppo esperto maestro, perchè possiate pensar ciò, e sapete bene che la mente detta come si sente di dettare, in un dato momento, e che un pò di fede l'ebbi anch'io, sebbene matte parole mi sien sfuggite qualche volta!...»

Diè in un riso Lucifero.... che m'arrestò sulle labbra la parola. — E che!... vorresti; mi disse egli, darmi a creder che tu fossi sì fanciullo?... se il facesti non fu certo per convinzione, o ti direi più che stolto!... ma per quel vezzo che avete voi altri poeti di affastellar tutto insieme per formare la tavolozza dei vostri colori, così che dite bianco al nero, e date per buono oggi quello che svillaneggiate domani!... E di che fede vai tu parlando che non sia parola vuota di senso, peggio che cicalar di vecchia scema per gli anni!... Volgiti intorno, interroga il passato.... il mondo in cui vivesti!... le creature che la popolarono, le vicende che lo agitarono!... Guarda scorrere rivi di sangue e da quelle onde vermiglie, gigante elevarsi il fantasima del dolore, dello spavento!... della desolazione!... Là il moribondo agonizzante, là il martire spirante sull'aculeo, là la madre priva di pane pei suoi figli, là l'eroe languente sotto il peso della calunnia, e traditori e traditi, e glorie e infamie, alternarsi sulla scena del mondo!... Guarda popoli che passarono come ombre nello spazio abbracciato dai secoli, come il bue trascinato al macello a cui solo basterebbe conoscersi!... turbe di scettrati fantasmi gavazzare nel sangue, e strano impasto di sozzi vizi e sublimi virtù.... tutto questo osserva, e sovra questo oceano di cose, metti un'ombra immota, cupa, impassibile, che tutto vede, tutto ascolta, come nulla vedesse, nulla ascoltasse, che annienta e ricrea e alterna la morte a scherno della vita. Ecco Dio!... ascolta un sommesso piagnolio di gemiti che si perdono per lo spazio, ecco la preghiera!... L'urlo disperato della bestemmia, un pò più lontano oscilla, poi.... Cos'è che domina su tutto ciò?... Il nulla che è il tutto!... che a tutto risponde, perchè non ha risposta!... fantasma dell'infinito, immagine fatua dell'immensità nel cui grembo maturano cose ed eventi!... Giuochi d'ottica nella gran lanterna magica del Creato, sviluppo di forme animate dal tempo, follie e grandezze a seconda del modo con cui si vedono le cose; sinonimi e figure, ombre e luce, finchè cade la tela dell'ultimo atto, finchè il passato si sprofonda nell'avvenire, e l'avvenire si perde, ombra pur esso, nelle tenebre di quel vasto abisso che è il nulla di tutto ciò che fu!...

«Ella è una strana filosofia la vostra, maestro!... replicai io sbalordito da quella foga di dire, e come affascinato da quello slancio, da cui mi sentivo tutto rapire oltre i confini all'umana mente segnati!...

«E quale ne avete voi?... continuò egli con sdegnoso disprezzo, che audacemente il fè ridere a fior di labbro. «Larve bugiarde, bugiarde promesse, risentite sempre e che sempre mentiranno. A che andar in traccia del domani, quando è dell'oggi che si vive?... Deliri matti di cui vi formate una corona di spine!... Egli è allora che vi sognate d'esser grandi, quando siete da meno che fanciulli assisi su piedestalli di neve!... Cos'è il fanatismo che crea gli eroi?... un cieco delirio della mente, un'insana menzogna del pensiero, un barbaro egoismo che si fa un mantello di sangue per ravvolgervisi e dire al mondo sono grande!... È sovra un monte di cadaveri che l'eroe cinge la corona d'alloro ed è salutato dall'applauso delle turbe che saranno domani sgozzate e sul cui scempio altri applaudiranno sollevando lo sgozzatore, che subirà poi l'istessa sorte!... è l'altalena della vita!... togliete il prestigio dell'idea che è la bandiera innalzata grido di guerra tra genti e genti, l'eroe sarà un assassino, perchè avrà assassinato fratelli!... il conquistatore coperto di gloria, sarà un ladro perchè avrà steso l'artiglio rapinante su ciò che era diritto de' suoi fratelli, che chiamò nemici, onde aver titolo a spogliarli!... Metti una mano nelle tombe, risuscita le ceneri di quanti morirono e morirono colla coscienza di compiere dei doveri ed altro non hanno commesso che delitti!...

Il grido di Patria che seminò la terra di cadaveri, e impinguò la borsa dell'agricoltore, che fece buon concime ai suoi solchi colle putrefatte membra, che fu egli mai?... Una pazza fantasia di cervelli malati!... Dio non diede patria all'uomo!... Creò il mondo e l'uomo. L'uno poi l'altro!... Il mondo è dell'uomo!... L'uomo è del mondo!... L'egoismo ne trasse arma a popolare la terra delle sue cento maschere, la forza se ne ammantò per regnare, svellete le maschere, fissate in volto chi vi si asconde ed avrete vinto!... Dio volle esser solo e lo fu, ed è despota!... ma lo è compiendo anch'egli il delitto dell'egoista: Diede e tolse, perchè sentì il bisogno di abbattere per esser solo ed eterno sul suo trono di folgori!... Io sconobbi il potere che gravava sovra di me e volli essere ciò che egli era, e che imponea che io non fossi; lottai e caddi, e dell'eredità della mia maledizione fu fulminata la schiatta dei deboli!... È d'uopo essere tutto o nulla!... Meglio quello che ora sono di quello che ero pria!...»

Lucifero splendeva di tutta l'affascinante bellezza che mortale può ideare a render l'immagine, di quel suo atto di fiera e nobile indipendenza!... di quella sfida, gagliardamente da lui lanciata contro quel potere da cui se si sentiva dominato, non era vinto, se gli restava tanta forza da sconoscerlo!... Per poco io non stetti per cadergli ai piedi.... mi ritenni però e pur piccato a non darmi vinto, dopo aver malignato alquanto sul dir suo.... parvemi aver trovato di che dargli ad uncinare con zigogoli indiavolati e gli buttai là, come una sfida, queste parole....

«Maestro!... vi so dir che mai avria creduto foste sì dotto delle cose umane, e ben m'avveggo che v'hanno grossolanamente fatto l'abito laggiù.... ma se ben parmi v'ha qualche cosa di vago in mezzo a quel vostro matto devastator d'ogni cosa!... qualcosa a cui passaste sopra per tema forse d'inciamparvi...» Io sorrisi.... Ei mi rispose con un sogghigno.

«L'amore!... vorresti tu dire, Poeta mio!...»

Io non seppi come ribatter parola al vedermi così di botto sorpreso nel mio pensiero, a cui ei di rimbocco seguitò «E che avete voi fatto della donna?... Affè io credo che Iddio diseredandovi dell'Eden, a scanso di rimorsi, per aver giocato coll'umanità, come un fanciullo colla pupattola datagli in dono dalla befana, creò sulla terra la donna, che si assise regina tra le genti, quando erano men barbare e meno civili!... e dalle quali s'ebbe almeno il culto dell'adorazione!... e parea stendere sul creato una catena di fiori, di fratello in fratello, prodigando il vergine bacio che dalla culla alla culla doveva stringere il soave nodo della comune fratellanza!... Poi.... che se ne fece?... Il fratello invidiò a quel bacio, guardò a quell'esile fiore col sogghigno della cupidezza, e disse; lo voglio mio!... ed il comando imposto al cuore abbisognevole di libertà, fu il primo scoglio contro cui cadde sanguinante la spennacchiata ala dell'amore!... Di quella creatura che come un mito doveva essere una personificazione del bello, se n' fece una cosa, che si diede, si donò, si vendette, ed ebbe padroni che la possedettero, non cuori che la compresero!... Le braccia che potevano stringerla al serto per darla al confidente abbraccio del fratello, si armarono del ferro omicida per difendere una proprietà; il ferro invido d'uno sguardo amoroso troncò il palpito del cuore attratto dal fascino della bellezza; l'armonia si ruppe!... La donna si sentì amata, ma trovò l'amore un peso che non ora più il libero e vago sogno della sua mente!... strumento di diletto scese di gradino in gradino sino all'abiezione del mercato!... Cercò l'uomo, l'idolo!... e trovò un despota che annodandosi alla sua esistenza le ripetè ancora: sei mia!... Il folle egoismo dell'uomo evocò allora il fantasma della colpa, e dalla sconoscenza della coscienza di sè stessi, nacque il matrimonio, e si chiamò il Cielo a complice delle umane follie!....»

«Affè!... io mormorai, sgomentato da quella sprezzante ironia e da quel cinico celiar su tutto!... mentre in me sentiva il veleno delle sue parole far fosca la luce del mio pensiero; affè!... maestro, ben tristo dono ci fè Dio allora della vita, se a tanto male non seppe o non volle por argine.»

«Meglio avesse lasciato dormire il creato nel sonno eterno dei secoli!...

«E qual miglior cosa ne saria sorta?...

«Chi lo sa?... forse un diverso soffio, diverse materie avrebbe animate!... Meglio forse, sarebbe stato ciò, al fare della vita un sogno che passa e più non te ne ricordi!...

«E che prometti tu... che a nulla credi?...

«L'oggi prometto!... il godimento!.... A che seguir le larve che si perdono nel bujo!... Vita, suona godere!... Pazzia almanaccar sogni da bimbi!... e brancolar nel vuoto!...

«Ma cesserà dunque l'esistenza colla morte?

«Si commuterà forse!... Ma che importa ch'ella si commuti, quando colla vita ogni ricordanza svanisca di ciò che fu?... Ma molte cose avrei a dirti che a te suonerebbero strane, e ti sarien pur sempre mistero... seguimi, Poeta, ascolta, guarda, e medita; mi dirai dopo se molte cose io t'abbia fatto vedere a cui forse non pensasti, o che confuse ti balenarono alla mente, e ch'io ti farò note perchè tu possa smentire a coloro che disser corna di me e de' fatti miei, e mi faccia fede che non tanto grullo mi sono quale vollero farmi parere laggiù!....

— — —

PARTE SECONDA

IO.

Abbiamo fatto molta strada, dove mi conducete, maestro?...

LUCIFERO.

Seguimi e vedrai.

IO.

Che posso io Vedere?... è tutta un'immensità di tenebre che mi circonda, dentro cui parmi che noi nuotiamo, come in uno stagno paludoso. — Maestro; il mondo mi diceste è scomparso, eppure vedo laggiù d'innanzi a noi un fosco ammasso di pietre; mi sembra un palazzo, ma parmi ben tetro per esser tale; un terribil fragore di catene mi percuote l'orecchio: dove siamo?...

LUCIFERO.

Dimmi; non vedesti mai da ragazzo dentro a certe lanterne portate intorno da girovaghi incaponiti nel farla da dottori, riprodursi sulle preparate pareti, uomini e cose che ti passavan d'innanzi come per opera d'incanto?... fa conto che io ti rinnovi quello spettacolo; guarda ed osserva.

IO.

Veggo volti sparuti e minacciosi, ma noi passiamo inosservati in mezzo ad essi, maestro; chi sono costoro?...

LUCIFERO.

Esseri animati, uomini creati perchè avessero la loro parte dei diritti della vita.

IO.

È l'ergastolo questo?...

LUCIFERO.

Lo è!...

IO.

E che altro avvi qui se non gente lorda di colpa?... le loro mani sono tinte di sangue, allontaniamoci tosto.

LUCIFERO.

E chi tali li rese?... quale ei nacque, visse l'uomo!... e fu opera che violentò le leggi di natura il voler ch'ei fosse diverso da ciò che in sè sentivasi, per addattarsi alle forme delle sociali costituzioni. Messer poeta, avresti tu mandato al diavolo il sartore che t'avesse mal adattato un abito?... o ti terresti istecchite le membra per capirvi dentro?....

IO.

È quesito questo un po' strambo, maestro, e ben non so quanto s'attagli alla bisogna!...

LUCIFERO.

Tant'è che ci s'attaglia, che tu non sai trartene fuori che assai impacciato nella risposta!... Hai tu mai interrogato questo tetro edificio che si chiama la Galera?... Ben tristi invero ei ti parlerebbe, e compassionevoli storie, assai più di quelle che sentisti magnificar dalla storia piaggiatrice dei grandi delinquenti, che si chiamarono tanto più grandi in ragione dei maggiori delitti che posero per piedestallo della loro grandezza!... Guarda; vedi tu quella figura altera che squassa quasi con orgoglio la sua catena?... guarda l'occhio intelligente, la fronte aperta, le membra erculee, il petto ampio, che abbondevole di vita la respira colla vigorìa della sua costituzione; che ti sembra egli?...

IO.

Nol saprei davvero; quella fisonomia ha una tale espressione di sprezzante fierezza, che mal s'addice parmi alla sua posizione.

LUCIFERO.

E ben dicesti; ella è difatti la sprezzante fierezza di chi sia soggetto al peso di una posizione che non dovrebbe essere la sua.

IO.

Pure tale è la sua sorte!...

LUCIFERO.

Tale ti sembra; ma uno stato parziale è egli mai sicura caparra di ciò che esser dovrebbe?... La tirannide che spense migliaja di uomini ha ella mai spenta l'idea di cui l'uomo si è armato per insorgere contro di essa?...

Il corpo può ben essere inceppato come Prometeo sulla rupe, scoglio fatale su cui l'ardimento del pensiero, Prometeo eterno, è condannato dalla umana perversità, ma l'anima anche coll'ultimo fremito dell'agonia vive la vita potente delle sue convinzioni!...

Quale il vedi, quell'uomo, messer Poeta, sa d'essere superiore al suo stato, e lo disdegna, e guata orgoglioso dietro a lui come il gigante alla pietra nella quale inciampò per via, e per caso lo fè cadere.

Guai a chi si faccia guida sino all'abisso in cui si vuol trascinare una vittima. È là che essa può concepire l'idea della sua forza, dacchè sia la disperazione quella che fa compiere i più alti atti, o colpevoli od eroici a seconda del principio da cui hanno origine. Quando mai i popoli più arditi sollevarono il grido della ribellione e vinsero?... Quando nelle loro carni più s'addentrò il morso del dispotismo, a dirgli: sei mia preda!... Allora s'accorsero che ciò era diffatti!... e guardatisi nella convulsione dell'ira, dissero: non sempre l'agnello resta agnello!...

IO.

Scusate maestro, se vi tronco a mezzo questa cicalata, ma non capisco cosa abbia a che far ciò, con quanto stavate per dimostrarmi!... parmi volevate persuadermi esser quell'uomo quasi un grand'uomo e che vestì per ischerzo quella casacca da galeotto!...

LUCIFERO.

E non manco certo d'affermarlo; sol mi fa ridere quel tuo poggiar da pretenzioso su quella parola grand'uomo, larga come le maniche d'un frate, da cui passano tanti peccati, quanti ei ne sappia condurre a fine, esperimentando sin dove possa arrivare la debolezza della carne!... Voi volete un gigante che conosciutivi pigmei, vi gridi sghignazzando sotto ai baffi arruffati: adoratemi!... e voi incensandolo, dei vostri corpi gli fate comodo sgabello, ond'egli vi monti sopra, e vi ghigni sul naso dicendovi: sono grande, perchè sono sopra di voi!...

Stupenda cosa davvero!

Anche Cesare seduto sul suo trono lordo del sangue di cittadini sgozzati, abbronzato il volto dal fuoco di arse città, era grande, quanto il più spudorato degli assassini può esserlo!... Anche Scilla era grande, a cui mancò la carta per segnar proscrizioni. Anche Domiziano che stancò il braccio de' suoi carnefici!... Anche Bruto il magnificato!... che dannando i proprj figli altro non dimostrò se non che, muta è ogni voce di natura dove non v'ha che stupida sete d'orgoglio!... e più vile libidine di potere!...

IO.

Eh, eh!... voi correte di galoppo, maestro!... e che?... non dovressimo noi forse rispettare le antiche tradizioni dei nostri padri?...

LUCIFERO.

E far di cappello!... e frustare il lombo delle vostre schiene innanzi a chi nacque leone o tigre, o lupo!... per svillaneggiare chi nacque coniglio od agnello!... Tant'è!... fu la morale del vostro secolo!... e tu attientivi a tuo bel agio!... Io per me dico che da bandito a guerriero non metto altra differenza, tranne quella che l'uno è pagato lautamente per cacciar l'altro, differenza di mestiere, che ciascuno fa per proprio conto!... al leone la selva, alla pecora l'ovile; l'uomo non pensò a ciò!... Impose a legge il proprio capriccio; ridottosi a stato sociale, disse; qui sta il retto, qui il disonesto, qui l'eroismo, qui la colpa!... qui il delitto, qui la virtù!... ah, ah, ah!... baje!... e chi vi dice quanta virtù abbia chi per adempiere a fatali esigenze della sua posizione, per dar pane ai figli che piangono, per vendicare un torto di ricevuta offesa, pone in non cale ogni dover suo.... ed onorato... o compreso di questo sentimento, si lancia nel delitto, per la strada della virtù?... Cos'è questa società che si è innalzata dettatrice di leggi?... L'unione di una classe che fattasi un diritto della forza, si impose perchè trovò chi ne ha accettata l'ascendenza!... che impose il tributo della devozione, e che impastata come è di pregiudizi ridicoli, stolti o malvagi, volle il sacrificio dei gonzi!... e dei creduli!.... Metti quattro persone legate per la vita e per la morte a massacrare ed a rubare, e costituiranno anch'essi una società, e ve ne sono tante quanti v'hanno bisogni turpi e buoni, che tendano ad unirsi per formare una massa, spiegando la bandiera d'un principio qualunque!... comoda cosa a farsi!...

Gli uomini dicono, costituitisi in famiglia abjurarono alla selvaggia lor ferocia, all'apatia dell'indole loro.... Menzogna!... l'uomo vestì un diverso uniforme, ma rimase sempre qual nacque.... e camminò dove, lo trasse una pulsazione più o meno violenta di sangue!... e agì come lo fece agire lo scatto del suo meccanico organismo durante lo sviluppo della sua vegetazione!... Quando si disse delitto l'assassinio, e l'uomo vidde a sè d'innanzi il patibolo, da tigre si fe' volpe; trovò che la civilizzazione bandiva il pugnale, come troppo rozzo arnese, e si servì dell'ingegno.... ma tra la meta ed il pensiero fissò l'ostacolo che doveva sparire, e se sulla via che doveva percorrere non rimase un cadavere materiale, si compiè in quella vece l'assassinio morale a mille doppi peggiore in viltà ed infamia! L'assassinio che consiglia il tradimento, e permise il bacio di Giuda pagato in moneta! Ma or basta.... che su ciò più a lungo non vorrei tediarti, e vorrei solo toglierti dal capo certo tuo modo di veder le cose, che mio non è certamente, e che appunto per ciò ti tenne, parmi, lontano dall'apprendere... e parmi che ancora ben a genio non ti vada!... Fatti dunque ben a considerare quell'uomo quale il vedi!... Ei vagì bambino nella sua culla, ed ebbe un sorriso tenero per la madre sua, saltellò pei verdi prati e colse fiori per la sua bella.... Egli ha ucciso!... Un uomo solo egli ha ucciso, ed è condannato da una legge che è confermata da un Re, che avrà ucciso migliaia di uomini, e che condanna chi ne ha dato morte ad un solo!... Eppure, vedi, stranezza!... Anche uccidendone uno solo, sarebbe un eroe forse, se avesse ucciso un Re, quel Re istesso a cui i popoli lasciaron uccidere tanta gente, credendo ch'ei ne avesse il diritto, e che lo tengono per giusto, colla stessa facilità colla quale per giusto terrebbero chi l'uccidesse!...

Con qual diritto condanna il giudice?... sa egli se i torti della società non davan diritto al colpevole di fare ciò ch'egli fece?... colla legge alla mano può egli farsi giudice della coscienza di chi abbia commesso un atto che può esser colpa, solo perchè fu stabilito che si dovesse chiamare così?...

Delitto è punire.... o meglio ancora fu stoltezza classificare la colpa.... che può essere una giustizia, ad onta di quanti vi sieno codici che altrimenti la qualifichino!...

Ogni azione ha la sua causa, a cui ascende l'azione istessa da cui parte, mentre l'atto non è qualche volta che una passiva conseguenza!...

I romani veduti i sabini abbondare di donne, mentre essi ne erano privi, le rapirono!... Le avrebbero essi rapite se ne avessero avuta la loro parte, in modo che lor fosse bastata?...

Quella rapina istessa ammetteva un abuso, la cui conseguenza era una mancanza, a cui quel fatto poneva una soluzione. Rapirono perchè non avevano altro mezzo d'avere quello che altri avevan più di essi, e che a loro parea non avesser diritto d'avere!...

Prevenire devonsi i bisogni se non si vuole che generino violenze. Ma siccome questo non si farà mai, così non saravvi mai cosa più ridicola del codice; è il più stupido dei libri, che crede poter ridurre a cifre le umane passioni, e non fa che istupidire quelli che vi metton mano!...

IO.

Ma cosa ha a che far tutto questo con ciò che avete a mostrarmi?...

LUCIFERO.

Ha che fare come cosa che si collega a cosa, dacchè la vita altro non è che una concatenazione di tanti piccoli fatti che ne formano le anella, e che si rompono poi per riannodarsi altrimenti!... e stringere altre catene, finchè questa macchina animata che è il mondo, non compirà la sua decomposizione, se pure è possibile che si decomponga senza rifarsi!... Io t'ho mostrato un ladro, un galeotto che poteva esser forse uno Spartaco od un Leonida!... che commise cosa che gli uomini chiamarono delitto, perchè i tempi, oppure anche l'occasione, non gli concessero dì far cosa che fosse in quella vece un eroismo!...

Guardane la culla!... lo vedi?... E un vispo fanciullino saltellante pei prati, come la cingallegra saltella di ramo in ramo!... cosa chiedeva egli?... Vivere!... E vivea come glielo consentiva il suo organismo... Chi gli ha misurati i palpiti del cuore?... chi lo animò di sensazioni?... Egli è quale è.... poteva egli esser diverso se tale lo fece la natura nella sua costruzione?...

Sai cosa fece la società?... creò obblighi d'ogni sorta e ogni sorta di pregiudizi, quali non potevano non crearsi dall'unione di tanti disparati elementi che si unirono per mettere il codice al posto del cuore, la legge come surrogato all'istinto, alla coscienza, al movimento umano, come più la voglia chiamare ciò che voi avete vestito di matte foggie!... e si mise fuori della legge come i Re!... si crearono degli obblighi e non se ne volle la responsabilità!... si crearono dei diritti per una casta, e si distrusser quelli dell'umanità!... si disse e si proclamò: si deve fare in tal modo!... e sai tu chi disse così?... coloro cui costava ben poca fatica il farlo?... Io trovo un caso grande che non rubi chi non ha nulla, mentre vede altri aver più del superfluo, mentre egli non ha neppure il bisognevole.... tristo consigliero è il bisogno!... il bisogno è mancanza assoluta di qualche cosa.... mancanza, e desiderio di conseguire, stanno insieme come terra a terra!... Desiderio è dolore, ed è cattivo compagno che s'infiltra nell'animo e lo rode come il tarlo rode i panni!...

Tutto ha una logica conseguenza nella vita!...

I fatti sono la conseguenza di altri fatti. L'azione buona o malvagia, è una susta che scatta dal meccanismo umano!... bisogna perchè scatti che un'altra azione vi abbia dato impulso. Se fosse diversamente si rimarrebbe inerti, ed è all'origine della colpa che è d'uopo sempre di risalire, onde giudicare chi sia il colpevole!...

PARTE TERZA

Io stava tutto intento ad ascoltarlo e non mi peritava dargli risposta, sbalordito com'era da quel suo concitato imbizzarrire di pensieri, a cui dopo tutto nè potea, nè voleva dar di rimando, quando egli mi fè segno di volger la mia attenzione sovra uno strano quadro che mi si presentò d'innanzi, e che mi fece rimaner lì tutto ammutolito dalla sorpresa.

In una di quelle larghe cameraccie, chiamate negli ergastoli Corsie, stavano occupati al loro lavoro circa una cinquantina di galeotti. Chi era intento a filar canapo, chi lavorava corpetti e chi se ne stava pensoso, meditabondo in qualche angolo della camera. Molti di questi camminavano nel mezzo della Corsia. Si sentiva con un orribile fragor di catene, rintronare le volte del carcere. I ceppi cigolavano urtandosi. Le anella ne erano lucenti come brunito acciajo.

Tutto ad un tratto fuvvi sotto a quelle tetre volte un tafferuglio indiavolato; non si sentì che un urlare di voci minacciose; un fragore più assordante ancora di catene... i guardiani accorsero spaventati da tutte lo parti; e traevano dalla folla uno dei condannati, pesto, malconcio, pallido di spavento e che la turba invelenita minacciava colle pugna inarcate, scagliandogli contro con tutto il sarcasmo dello sprezzo, una parola che mi parve un ben strano controsenso sulle labbra di quei condannati: Ladro!...

— Morte al ladro!... alle segrete il ladro!...

Tali erano le grida che minacciose prorompevano fra quella turba di ladri!...

Il mal capitato fu ben bene inceppato alle mani, dai pronti carcerieri serrate entro due cerchi di ferro, che gliele congiunsero sul petto con forzata contrizione. Egli fu tratto fuor dalla Corsia, alle segrete di castigo.

Davvero!... che a strane cose mi fece riflettere quella bizzarra scena e non potei che a stento rifarmi della sorpresa.

Lucifero stava intento a guardarmi con quel suo piglio di beffa, e pareva mi dicesse: vedi mo' se non ho ragione?...

Io ancor non voleva darmi per vinto, e a dir vero non lo potea, che se bizzarri pensieri mi frullassero nel cervello, attonito come io m'era per sì strana cosa che sarebbe apparsa impossibile, ove non ne fossi stato testimone, pur di quella non mi persuadeva e sol mi dava la prova d'una di quelle tante bizzarrie che si riscontrano nella vita, ad ogni tratto che vi si cacci dentro il naso a guardarvi un po' da vicino.

«Non v'ha maggior scrupolo di probità che nelle galere!.. ghignò il mio originale di maestro, in tuono stridulo e mordente!... non v'ha maggior fratellanza di quella che regna in una banda!...

«Maestro, maestro!... saltai su io un po' piccato; con che sorta di paragoni mi saltate fuori adesso?... Sta bene che m'abbia tanto sconvolta la fantasia da poter farmi pigliare la cupola di san Pietro, per la Piazza d'armi di Milano!... ma davvero che non avrei mai sognato, che mi voleste mostrar una cameraccia di galeotti per darmi un'idea della probità, nè che mi citaste una banda, per farmi un quadro della fratellanza!...

«Il fatto sta però, mi ribattè egli, che ogni cosa piglia forma e colore dal modo con cui la si voglia vedere, o dal modo con cui la si vesta.

Tanti dotti a cui si fè un giorno di cappello, furono arsi e disprezzati in altri tempi, e tenuti come la peggior feccia!... La cortigiana che siede sui morbidi velluti, più baldracca di quante baldracche abbia il più vil postribolo, è rispettata quanto una onesta donna, sol perchè i suoi titoli di duchessa o di marchesa, od altro le danno licenza di vendersi o darsi come più le piaccia; mentre una sgraziata fanciulla, cui scivoli il piede lungo la via e dia uno scapuccio, si sente gridar la croce adosso e chiamar per tale, da dover soffrirne tutta la vita.

V'han tanti ladri camuffati da galantuomini, Poeta mio!... che si dovrebbero fabbricar più galere che palazzi, se si volesse guardarli a vista!...

Sai perchè coloro che tu vedesti in sì tristo luogo, gridan ladro!... con accento di sprezzo a un lor compagno, che per galantuomo non fu certo condannato, e che com'essi, fece le fiche a monna giustizia, che gli mise sopra le grinfe, aggiustandolo per le feste?...

Perchè qua dentro essi si sentono legati da un certo qual vincolo di fratellanza alla lor foggia!... Da questo lor carcere lanciati in mezzo al mondo che li paga di sogghigni, di beffe e d'insulto, essi andran fiutando come bracchi, ove siavi miglior scrigno più mal guardato sul quale metter le mani.

Quello che non si vuol capire è appunto questo, che gettando il disprezzo sulla colpa lasciandola al suo abbandono, la si costringe a dare frutti amari d'odio e di rancore motivo per cui chi ne è fatto scopo, se prima fece il male per errore o per bisogno, vi si dà per rappresaglia, e giustifica in certo qual modo le sue azioni col paragone di altre che arrovellano il suo animo esacerbato.

Da ciò quella lotta eterna degli oppressi e degli oppressori che genera la guerra delle Nazioni, stolta e perversa come quella degli individui!

Tutto è di tutti!... Ciò era in natura... Gli uomini non appena si trovarono forti chi più sugli altri, dissero ciò esser assurdo, e si tolsero la briga di dimostrare essere per loro la maggior parte dei comuni diritti.

Ciò fu vero!... sai perchè?... perchè trovarono chi se li lasciò prendere!... Ebbe ragione la loro teoria, solo perciò furono più briconi, e seppero imporla agli altri che furono tanto imbecilli di accettarla.

L'orgoglio umano trasse argomento dall'altrui accondiscendenza o dall'altrui paura, per stabilire la tirannia.

Io.... per me!... dico tanto ladro a chi ruba una moneta d'oro, come a chi se l'appropriò prima togliendola ad altri.

È questa la storia delle prigioni e degli ergastoli, Poeta mio!... storie empie, ma che sono la conseguenza di altre storie più empie ancora, per narrare le quali è d'uopo ascendere ben più in alto, ed interrogare i sogni agitati che s'aggirano intorno a guanciali di porpora, come è d'uopo ascendere negli spazi, per trovare dove si formi il fulmine che compie sulla terra la sua opera di distruzione.

La diversità poi delle posizioni sociali generò la diversità delle colpe; ond'è che l'uomo che t'ho mostrato, armato di coltello pretese sulla via il pane che chiese cinque o sei volte, finchè gli venne meno la pazienza per arrivare fino alla settima!... Altri arrivò forse anche alla decima!... ad altri forse bastò la prima!... e ne ebbe addirittura la persuasione che fosse vana cosa di domandare! — Questioni d'organismo!...

L'altro che vedi in atto pensoso aggomitolato in fondo alla Corsia, trasse frutto dalla mente e fu reo di frode compiuta per la bonomia altrui, onde si dice truffatore.... Quell'altro scassinò una serratura, questi fabbricò monete, quando vidde di non poter avere di quelle che fabbricava il governo, e così a norma dei caratteri, degli istinti, e delle posizioni, mutano di veste le colpe, ma tali rimangono nella loro essenza, e le carceri non mancarono mai di ospiti, sebbene altra peggior feccia vi sta lontana, che però dovrebbe venirvi per comunanza di principi e per diritto di merito!...

E sai tu perchè in maggior numero sianvi bricconi? ed in minore i saggi, e in buona parte i giustiziati, che son sempre i gonzi?...

Perchè il male si strinse in una forza compatta per imporsi, ragunando intorno a lui quanto male potè, onde farsi forte.... Si unirono i disonesti, per persuadersi che l'onestà dia buon frutto!... bisognava quindi convincere che l'onestà non dà frutti che di sagrifici!... Si persuase il male, provando essere il bene la più ridicola delle cose?... La virtù si disse goffaggine, e scaltrezza il mal fare!... ed il dizionario guadagnò molti sinonimi.... in ragione che il mondo perdette quel po' di buono che v'era!...

IO.

Converrete dunque maestro che in mezzo a tanta corruzione era più che necessario che si stabilissero leggi a tutela dell'ordine, o che tutto sarebbe andata a rovescio.

LUCIFERO.

Non ne convengo certamente!... mi ribattè sogghignando Lucifero, e ti dico anzi che prima cagione di colpa, furono le leggi che si tolsero appunto la briga di classificare le umane azioni, togliendole alla loro libertà. Cos'era la colpa prima che tale si chiamasse, come lo vollero le mattezze umane?... nulla!... Un fatto qualunque che era scaturito da una qualunque causa!... Cosa produssero le vostre leggi?... Condannano il fatto!... ma la causa?... l'anima che dà vita a quest'azione, che si chiama poi virtù o delitto?... Parmi che la si lasci nelle nubi e non s'allambicchi tanto il cervello a snidarla fuori!... Stupenda cosa saria condannare il sasso che ti rompe la testa, e non cercar la mano che lo ha scagliato!... ed è ciò appunto che succede tra voi!... Vuoi tu darmi ascolto alcun poco?... ti vo' narrar su ciò un ameno racconto che s'attaglia al caso, come abito addossato dal sartore. Non vorrei però che tu mi dassi del pedante, per questo mio filosofare imbizzarrito, ma a modo mio vedrai che ti farò meglio parer chiara la cosa.

IO.

Vi sto a sentire tutto orecchi, maestro.

PARTE QUARTA

Il racconto di Lucifero

La carcere e tutti i suoi inquilini era sparita a noi d'innanzi; mi sentii tratto per lo spazio, come, a volo. Sul volto sentiva soffiarmi un alito freddo freddo; calammo a poco a poco e ci trovammo sulla vetta d'un alto monte, di cui non vedeva le fondamenta tant'era fitta la nebbia che ci stava d'intorno.

Sediamo qui a bel agio, e stammi attento, mi disse Lucifero lasciandosi cadere sovra un masso come uomo stanco dalla fatica: in mezzo a questa nebbia era dura da fendersi l'aria.

Io volea ribattergli che si potea stare dove eravamo senza torsi la briga di far tanta strada, ma stava formando tal pensiero quando ei lo ruppe a mezzo e cominciò:

«Devi sapere ch'io me ne stava un dì a diporto sulle rive dello Stige!... è la mia passeggiata prediletta.

Figurati quel fiume dalle acque nere, gravi, imponenti, che via corrono senza suono. — Una turba di alati vampiri vi si aggira intorno, ed empie di strida bizzarre le vaste latitudini di uno spazio fitto di tenebre. — Da ogni lato selvaggi dirupi, nelle cui gole l'eco ripete il gemer dei venti che vi irrompono sibilando. Per sette strade si fa capo al mio palazzo, ch'io feci scavare coll'ugne delle mie arpie nella più interna gola della più alta montagna, ed intorno al quale misi al lavoro quanti dannati mi capitarono laggiù, tanto da farne la più splendida reggia che non invidia al cielo altro che la sua luce a far più scintillante la sua dovizia di gemme!... Cerbero latrava innanzi alla gran porta d'acciajo, scuotendo le sue sette teste.... Era quello il segnale d'avviso che mi dava Caronte ogni qualvolta stava traghettando qualche nuovo ospite....

Veniva diffatti la pesante barca verso la destra riva del fiume, ed entro quella eravi un'ombra che a malincuore si lasciava traghettare; mesta e pensosa ella guardava in volto il fatal battelliere e parea gli chiedesse venia, parola stolta a cui egli faceva orecchie da mercante, come buon usurajo che sente strillare lo spennato merlotto colto in pania a buon tiro!...

Se tu lo vedi, è un caro compare Caronte.... e ti sa dire più lepidezze con quel suo labbro raggrinzato, che non dicano corbellerie i vostri deputati, quando voglion far pompa di spirito!...

Egli ha imparato tutti i gerghi, e tutte le lingue, onde intendersi meglio co' suoi avventori, e più d'un'ombra me ne fece le lodi, quando si fu un po' accomodata laggiù....

Hai da vederlo quando noleggia la barca per le corse di piacere, che si danno lo scambio talora sullo Stige, ove si fa gazzarra di risa e di tripudi.

Lo diresti il più matto ed allegro compare che veste panni di battelliere!... e come vi dà dentro!... e come voga!... e come s'ubbriaca!... abbiamo del vino laggiù da far ballar la zucca a più d'un morto, che talora, credo, non rimpiange affatto la vita.... massime s'io il fo per caso guardiano alla mia cantina o lo metto a coltivare ne' miei vigneti!...

Caronte era quel giorno più che mai in vena di far follie e facea girare la barca su pel fiume, ond'io vedutolo a far tal gioco, lo chiamai e fattolo appressare montai seco in barca.

L'ombra ch'ei traghettava era d'uno che era finito in tal posto dove pochi hanno gusto di finire!... Aveva lasciata la testa in mano di poco urbano compare, il quale sebbene dovesse fargli un brutto tiro, lo baciò prima di spiccargliela dal busto!... Egli se la teneva tra le mani.... e quei due occhi che si roteavano nell'orbita, stavano guardando il corpo in modo ancora da trasognato, e parea non sapessero capacitarsi che loro fosse dato guardarsi spiccati così come erano.

Vedutolo in sì mal'agio e sì mal concio, mi prese compassione di quel disgraziato e toltagli la testa di mano gliela accomodai sulle spalle. Egli mi sorrise, ed il suo sorriso aveva un tal che di dolce, che m'invogliò d'una strana idea....

«Vorresti tu dirmi, gli dissi, perchè ti hanno fatto tal servizio da spedirti qui con sì ratta corsa?...»

Egli mi fe' cenno che ben di buon grado assentiva: ordinai a Caronte che ci menasse un po' a diporto e mi feci tutto orecchi.... l'ombra incominciò:

«Io nacqui a Roma... È d'uopo sappiate che io aveva una sorella, un padre ed una madre; mio padre era un buon mercante che se la campava alla meglio col frutto del suo lavoro; mia sorella Adele viveva in famiglia.... si campava discretamente.... Ma siccome non si fa mosto senza tinozza, anche il nostro malanno c'era in casa! e questo malanno era un giovinastro rotto ad ogni buon costume, che bazzicava intorno all'Adele.... e le prodigava cortesie, come una donna di mondo vi prodiga baci per mungervi il taschino!... Scusate messere, mi diss'egli sorridendomi: ma v'è un proverbio lassù ed è che quando in qualche affare ci si caccian le corna del diavolo, quell'affare non c'è verso da raddrizzarlo!...

«Son dunque tenuto in qualche conto! risposi io per nulla affatto piccato della stima che mi era dimostrata.»

«Vi s'era proprio cacciata la coda del diavolo, seguitò egli. Io amavo mia sorella come è dovere che s'ami, e s'anco non fosse dovere, chè io non sono già dotto di cose da sapienti!... so che io l'amavo e vedeva di mal occhio che quel suo damerino gli facesse intorno la ronda.

Ma sì! fattevi a sbizzarrire il matto cervello di caparbia fanciulla!... Tanto varrebbe pestar l'acqua nel mortajo.

Lei lo teneva per la perla dei galantuomini; egli voleva venire al suo punto, e ci veniva, sfido io!.... senza tanti rovesci! Non c'era che da illudere una bonacciona! e da giuocar un tiro da galeotto sopra gente che s'intestardiva a crederlo pasta da galantuomo. Non v'era amico più di lui assiduo nella famiglia; mio padre e mia madre lo tenevano come un figlio.

L'Adele però non l'amava e doveva farsi sposa con un banchiere di città.... Paolo lasciò che le cose camminassero pel loro verso; non se ne diede per inteso, e sotto vento macchinava intanto come sventare quelle nozze che gli erano una spina al cuore.

Mio padre che da qualche tempo si lanciava nel campo azzardoso della speculazione, aveva un consigliere... era Paolo. La fortuna gli arrise più volte.... ma a forza di tentar il malanno, una volta o l'altra finisce col capitarci adosso.... e ciò avvenne diffatti. L'ultima impresa in cui aveva giuocato per posta, quasi tutto il fatto suo, gli fallì. Il sinistro aspetto della rovina si cacciò in mezzo alla nostra famiglia. Si dovette sagrificare la dote di Adele per uscirne onorati, ed il matrimonio com'è naturale andò in fumo.

Gli amici tutti della famiglia si allontanarono tosto, come frotta di rondini al sorvenire del verno; non così Paolo, che ci si fe' più attorno, prodigo più che mai di consigli, di conforti, sì che parea che l'animo suo dividesse tutta la sventura che c'era toccata.»

Come prostrata sotto l'incubo d'un penoso sogno, l'ombra stette per alcuni istanti assorta in doloroso atteggiamento. La testa gli ricadde sul petto oppresso; nelle pupille immote tremolò una lagrima; trasse un profondo sospiro, come uomo che si svegli a mezzo della strada che fece sonnecchiando, e continuò:

«Di fronte a questo attaccamento che sorviveva alla sventura, e che pareva farsi più forte col crescer dei nostri affanni, io mi pentii d'aver sospettato; cancellai dal mio cuore un tal qual senso di antipatia che senza darmene ragione sentivo in me verso colui, e come succede quando coll'animo retto si vuol rimediare ad un colpa che si crede d'avere commessa, pagai il suo affetto con tutto lo slancio della stima che gli aveva prima ricusata.

Ahimè!... i frutti dell'opera sua non dovevano tardare a maturarsi, e ben tristi, come tristo ne era il germe, non essendo l'ostentato attaccamento del vile, altro che giuoco d'astuzia e di infame scaltrezza che la vinceva a posta sicura sulla buona fede.

Nell'animo della mia povera sorella quelle premure che le erano prova di cuore cortese e gentile, accesero ben presto uno di quegli affetti che vivono dell'abbandono della confidenza. Essa lo amò con tutto quello slancio di cui sentivasi capace nella ingenua credulità del suo pensiero.... L'istante era giunto! egli aveva aspettato pazientemente al varco la vittima, come l'assassino che s'apposta ad un crocivia!... L'amore ha i suoi momenti d'espansione a cui l'anima della donna non sa resistere, ove il libertinaggio se ne faccia strumento!... Saper indovinare quell'ora di prostramento che ha bisogno d'una carezza! quella carezza che provoca il bacio, ecco la scuola di codesti pigmei di carne, che fanno consistere il loro eroismo da gabinetto nel calpestare quanto vittime possono sul loro sentiero parassita!... e che camminano a fronte alta in mezzo al fango con cui insozzano ogni virtù, che non sa leggere la menzogna sotto al cinismo delle loro labbra impure!...

Mia sorella cadde, e dopo il disonore, venne l'abbandono!... invano ella pregò; pianse invano; un giorno coll'angoscia nel cuore mi si gettò ai piedi confessandomi tutto l'orribile tradimento, tutta l'insania di quell'arte scaltrita per cui egli era giunto a compiere l'opera sua.... Io uscii di casa pazzo, furente....

Lo incontrai, trassi il pugnale dalla cintura e lo lasciai morto sulla via!...

Ho pagato col mio capo questo delitto!... le leggi almeno dissero che era un delitto!... mormorò egli, mentre sulle sue labbra correva un disdegnoso sorriso.»

L'ombra si tacque; eravamo giunti alla riva, io pensavo tuttora assorto in strambe astrazioni allo strano racconto, quando l'asta della barca che battea contro la sponda mi trasse da quel mio fantasticar bizzarro. Seguii collo sguardo quello spetro di dolore che s'allontanò muto ed assorto per la buja spiaggia, e rifletteva che stupida cosa siano le leggi che colpiscono sempre l'atto che sta loro d'innanzi e quasi mai ascendono a trovarne la causa!...

«Orbene!... dimmi tu adesso.... non fu delitto forse quella giustizia, e non fu invece giustizia quel delitto?...

Cosa rimase dopo quell'atto legale che, punì un atto che era per sè stesso una punizione?

Il dolore d'una donna, l'onta d'una famiglia!... la disperazione d'un vecchio!...

Dolore, dolore e dolore!... solo retaggio che venne all'umanità dalle sue istituzioni sociali, che vincolarono l'uomo agli infiniti pregiudizi, che lo resero un bamboccio incapace d'alcun atto di indipendente volontà.»

Io non seppi che rispondere, e chinai la fronte impensierito; egli mi trasse da quel mio smarrimento; ed alzatomi pel bavero del soprabito di sopra alla vetta dove c'eravam posati, sentii che mi trascinava tuttavia per lo spazio dentro cui ci addentravamo, soli in mezzo a quella vasta immensità, che non aveva confine e che si popolava di tutti i fantasmi evocati dall'orgasmo dell'immaginazione.

PARTE QUINTA

Il Mondo

«Seguimi che altre cose ti vo' far vedere, mi diss'egli, e statti pur certo che sebbene librati nell'aere, staremo più saldi che nol fossimo sulla più salda rocca di granito!...

— Si può sapere, maestro, dove ci troviamo?...

— E che t'importa il dove?... guarda solamente sotto te; che vedi?...

— Un abisso in cui l'occhio si perde....

— Fu il Caos prima d'essere il mondo.... Or guarda bene e m'ascolta, Poeta, dacchè più nulla avrò dopo questo a dirti. Tutto ora noi dominiamo, dacchè il mondo che fu è sotto noi.... tu non vedi che tenebre, ma da quelle tenebre io non ho che ad evocare delle tradizioni per rivelartele; fissavi dunque lo sguardo e discerni. Eccoti l'Italia, la terra delle melodie. La terra dei fiori brutta di sangue; la Maddalena, come la disse un dotto alemanno, la quale colle chiome sparse sugli eburnei omeri, piange sovra sè stessa, troppo tardi pentita de' suoi errori. La Spagna, la terra delle favolose tradizioni; la Grecia, la terra dei giganteschi sagrifici, delle eroiche abnegazioni. L'Alemagna, il suolo delle fantasmagorie e dei sogni, il paese delle leggende. L'Oriente, la culla delle vergini. L'India, la terra dei miti... Nel turbinoso vortice dei secoli guarda come immani fantasimi passare la storia di tutte le nazioni; cosa che ne raccogli se non un solo gemito, confuso con un grido d'orgoglio?... Popoli ed individui che muojono, memorie e cose che si accavallano, che si succedono, virtù e colpe che si confondono, e dapertutto non v'è che la stessa armonia di disordine.... Il creato sin dal suo nascere col primo palpito dell'esistenza, inneggiò il mesto preludio de' suoi mali, e l'osanna delle sue glorie. Tutto si alterna; la vita ha bisogno di tramonto e d'aurora, il tempo di notti e di giorni; nella variazione è il prolungamento, la vita dei regni come quella degli individui ha i suoi punti estremi di contrasto.

Sulle atterrate città della Grecia, guarda sventolare la mezzaluna del Musulmano; sui vasti campi dell'Oriente, sulle sponde del Gange!... sovra il cadavere dell'Arabo feroce che sollevò ardito l'urrah! delle battaglie vedi battere l'ugna ferrata il cavallo del Crociato, che si disse guerriero di Cristo, inalberando la croce emblema di pace e di perdono a stendardo di scempi e di carneficine... Chi è più colpevole d'un'armata che in nome di una religione di fratellanza apporta la morte su terra non sua, oppure chi a prezzo di sangue difendeva il suo tetto, e la sua religione, quale essa si fosse?... Ogni avventatezza di principi degenera in pazzia. Pazzia dà frutto di colpa; da fanatismo di parte che bandisce un grido di libertà allorchè la tirannide vuol spegnerla nelle sue spire non v'è che un sol sasso e la tirannide briaca di sangue, vuol sangue, come l'ebbro il quale mal reggendosi in piedi stende l'avida mano all'ultimo bicchiere che terminerà il suo abbrutimento. Contempla la terra seminata di fratelli che armò l'uno contro l'altro la erroneità d'un idea, o la sagacia di pochi, che si fecero delle masse strumenti ciechi e formarsi un piedestallo di grandezza, e dimmi se più ti viene da ridere o da fremere sulle umane stranezze!... Dall'una parte astuti che comandano, dall'altra stolti che chinano la fronte ed obbediscono. Del sogno d'una notte l'uomo formò un simulacro, e disse: è d'uopo adorarlo. Vi furono gonzi che credettero, e sorsero le mille religioni che popolarono la terra di riti; altri risero, ma a guisa del mercante che tirato il conto di due somme piglia la migliore, pensarono quale utile ne potrebbe venire, e la menzogna patteggiando colla ipocrisia scrisse le favolose tradizioni che accettò il fanatismo. Il tiranno per conservarsi sul suo seggio ebbe bisogno di servirsene; la religione comprese d'esser forte, e coloro che si fecero suoi ministri armatisi del prestigio della loro posizione, la vestirono a pompa, come la prostituta, per vendersi a maggior prezzo o per sedurre più agevolmente, si adorna di ricchi abiti e sfavilla di diamanti. Sorse allora un potere fuori del potere, un mondo fuori del mondo, che fu gettato fardello pesante sulle spalle dei creduli, perchè si curvassero in modo che sui loro dorsi gli altri salissero a dettare la legge. Il capriccio, statuì le basi di vincoli positivi; la follia vestì il manto della verità, perchè la verità era falsata o perduta nel bujo delle tradizioni; i potenti vi si arrancarono, come il naufrago all'antenna galleggiante dell'infranto naviglio, ed una turba d'uomini si disse rappresentante di un Dio qualunque, alzando la bandiera della propria idea, che ebbero martiri, e vittime ed evocato come l'orco, il Cielo fu chiamato a patteggiare coi delitti e colle matezze umane.

Interroga le stragi di Messene e di Sparta, del Portogallo e dell'Africa; guarda gli altari dell'India su cui la vergine veniva sgozzata dal sacerdote, agli altari della Grecia sui quali la vittima cadeva incoronata di fiori. Guarda alle ecatombe di Roma, ai martiri caduti sotto il dente delle belve affamate e spiranti nelle carceri, e sugli aculei, o sotto la scure dei carnefici. Sotto le mura di Gerusalemme, cerca i mutilati avanzi di due popoli; interroga i gemiti delle orbe madri, delle spose derelitte, dei figli piangenti. Da dove vennero tutti questi mali? Da dove sorse questo grido foriero di tanta strage? di tanto furore, di tanta insania?... Dai misteriosi vaticini dell'antro di Delfo, ai responsi della sibilla romana, tutto è menzogna. Come un branco di augelli che seguono gli eserciti attendendo impazienti la notte che offrirà loro lauto banchetto di cadaveri, si divisero pochi eletti il frutto sanguinolento di tanto esterminio, e sui gemiti dei fratelli, rise il fiero riso della cupidigia chi all'ombra d'una larva si fabbricò un trono a rassodò l'edificio del suo potere. Ingiustizia e ingratitudine, barbarie e colpa dovunque.... Catone si immerse nel petto il ferro che impugnò per la comune libertà, quando sentì il trionfo di Augusto... Gli Ateniesi offrirono veleno al più virtuoso degli uomini.... La virtù è condannata al sagrificio perenne, perchè l'empietà ha troppi proseliti. Tarquinio invece passò col cocchio impudente sul cadavere di suo padre, e regnò, vero è che fu poi assassinato anch'egli.... Poichè fiore dà frutto.... colpa genera colpa.... ed il dispotismo evocato dall'io superbo del suo potere che crede d'andar diritto, è come il cieco che dà di cozzo in una parete e cade al suolo sanguinolento, tanto è vero che Alboino quando credette aver tocco il sommo della dispotica sua potestà, imponendo a Rosmunda di bere nel teschio del padre, segnò con quell'atto la sua rovina, e non si svegliò dal suo sogno di superba grandezza se non che per vedere la mano che gli cacciava un pugnale nel petto, ed Oloferne quando disse: è mia Betulia, e ne vagheggiò feroce l'ultimo scempio, fu allora che ebbe a fare un serio conto colla spada di Giuditta.

— Maestro, io ho sentito sempre dire che al diavolo abbrucia la lingua nominando santi....

— Ed io credo vi siano diavoli che valgano assai meglio di tutti i santi che registrò ne' suoi elenchi la Chiesa... La santificazione è una merce a buon mercato mi pare.... ed affè che se santa fosse invero Giuditta, sarebbe come trovare una perla in mezzo al fango.

— Mi pare paragone troppo sconcio parlando di santi, maestro....

— Ti capisco.... ma fa che torni lo stesso.... Sono fanfalucche come la storia del fico, e del diluvio.... e tante altre storie che si danno a bere a chi le vuole, io le butto di rimando, da cui mi vengono.

— Maestro!... Maestro!...

— Tutto è menzogna!... e che? vorresti tu darmi a credere di prestare fede a queste fiabe?...

— Io non ci credo.... Ma sento che il tuo sarcasmo mi fa rabbrividire.... il mondo che tu mi mostrasti è ben orrendo.... Vi sono ancora sublimi virtù nel mondo... Vi sono i sagrifici del genio.... le nazioni che di volo mi mostrasti nel loro nulla materiale, hanno anche splendide glorie.

— E vuoi tu vedere ove scompajono.... ove tocchi il fine di tutto?

— Maestro, lasciatemi....

— No. Vieni....

PARTE SESTA

Il Cimitero.

— In quale ameno luogo mi conducete, in verità che mi date allegra compagnia di scheletri d'ossa, e di tombe.... ella è ben poco attraente.

— Luogo più che adatto e comodo al nostro essere, messer Poeta. Interroga le tombe e ti risponderà la vita, il passato, dacchè la morte ne sia l'arcana tradizione.

— Quello scheletro ritto sul terreno m'incute terrore.

— Ah, ah, dimmi un poco; quando ti stringesti sul seno la donna amata pensasti mai che in arido stinco si commuterebbe un giorno, e che i suoi occhi perderebbero la luce? che le sue scarne guancie si infosserebbero; che il suo cuore pasto sarebbe dei vermi.... e che la putredine stenderebbe il suo potere su quel corpo rigoglioso scopo alla concupiscente brama della pupilla?... Dì, a questo non pensasti mai?...

— Maestro mio, in che ben tetro umore v'approfondite!...

— Immutabile io sono, e da tale guardo le cose che mi circondano.... Fatto è che quello scheletro fu donna.

— Ma che è ora?...

— E che eri tu?... Tutto ha fine nella tomba! Ah, ah!... Poeta mio; or eccoti a che si riduce la nobile creazione del tuo pensiero; la passeggiera silfide che ti getta un fiore e sparisce nel nulla di tutte le cose, travolta nell'oceano turbinoso del tempo.... Ti spaventano le tombe? Eppure è qui che cadde ogni frutto terreno. Qui l'oratore accanto all'opulento; il re accanto allo schiavo; è da qui che sorge altiera una voce a segnare il nulla delle umane grandezze, mentre una zolla di terreno affratella tutto ciò che vive il palpito doloroso o felice dell'esistenza!... Cerchi la donna, o Poeta, eccola!... Stringilo al seno quello scheletro biancheggiante, bello un giorno di vita.... Poeta, cerchi la verità? qual miglior verità della morte?... La sua anima ti narrerebbe una lunga storia di patimenti... Essa è qui; qual via percorse?... E su tutti questi varj sentieri, poniti ed interroga chi tragitta; ben molto avresti a scrivere. Fissa il palazzo ove fervettero danze avvolte dal fasto dell'opulenza; ivi s'aggirò la donna mentitrice di giuri, ed ingannata, si fece serpente perchè il serpente non la soffocasse nelle sue spire. Fissa il postribolo; essa vi gemè talvolta santificata col martirio crudele dell'anima che l'oppresse col sagrificio d'ogni giorno.

— Maestro, e non vi par egli un'insulto alla santa reverenza di questo luogo di morte, il sarcasmo che vi corre sul labbro?...

— Ah, ah! messere, affè che io credo che gli uomini, sentita la favola del coccodrillo, ne avessero tanta invidia che si forzarono d'imitarlo. Stupenda cosa infatti aver sacre le tombe, e torturare le esistenze. Guarda il figlio che di dolore in dolore spinge verso la tomba i propri genitori, poi scioglie sulla loro urna la lagrima ipocrita che faccia fede al mondo del suo sviscerato amore per essi; guarda lo sposo che chiude il feretro della donna e sognando le novelle faci d'altro imeneo, mente un affanno che non provò mai ed infiora la tomba ove giace colei, a cui vivente di aspra corona di spine recinse la giovine fronte. Impostura è la vita, e sulle tombe si perpetua; solo nella tomba cessa. Qui una croce nuda, ti segna il luogo ove giace il povero cui più delle pompose pantomime che creò l'uomo con funebri riti, seguì il gemito segreto dell'anima, tributo solo dello affetto. Là avvi un superbo monumento!... ma che v'è dentro ognuna di queste tombe?... Un fracido carcame, od un pugno di polvere!... Interroga la vita; ti risponderanno le follie onde l'uomo si intreccia il suo sentiero. La tomba ti rivelerà il nulla di tutto.... Qui d'un sonno uguale, eterno, dormono tutte le cose.... Qui hanno tregua i gemiti e le lagrime.... Qui s'accomunano principj, genti e religioni. Fu grembo che maturò il frutto dell'uomo la terra, e la voce istessa che lo animò ve lo chiama. Dalla culla alla bara non v'è che un passo; si sveglia l'uomo per un giorno, s'addorme per sempre. Guarda quel teschio.... Entro quello s'aggirarono già sogni di conquista, guarda quel piede, egli premette la porpora regale del trono e guarda quella mano che sorge da quella tomba, bandì la spada o suonò l'arpa del poeta.... Ora la più meschina creatura può farsi gioccatolo di tutto ciò....

— Maestro.... il vostro quadro è orribile.... queste tombe mi fanno spavento, le vostre parole mi passano l'animo, fredde come la nebbia della notte in paludosa valle; che volete voi dirmi con ciò?...

— Spiegarti la scienza della vita. Guarda i mille atomi animati che passano compiendo il loro triste pellegrinaggio; raduna tutto l'immenso quadro della vita, poi interroga il cimitero e ti risponderà il nulla di tutto ciò che fu!...

IO.

Apostolo delle tenebre, tu mi sgomenti!... se il silenzio è morte, cosa persuade allora la tua dottrina?...

LUCIFERO.

Il nulla!...

IO.

Ma se tutto è nulla?...

LUCIFERO.

Vi è la vita dell'oggi!... Vita suona godere!... tutto ciò che gli è d'ostacolo è male!... è dolore!... è d'uopo dunque camminare sopra tutto, per arrivare al bene!...

IO.

Nell'egoismo dunque si trova la felicità?...

LUCIFERO.

Nell'egoismo è il diletto!...

IO.

Ma l'egoismo è bruttura!...

Lucifero gli sogghignò stranamente. L'egoismo è egoismo!... mi disse egli, col suo accento sarcastico e motteggiatore. Due sono gli elementi che costituiscono la vita. La debolezza e la forza. Il vento schianta la quercia.... la quercia abbatte l'alberello. Il boa uccide il leone.... il leone sbrana il lupo.... È una gradazione delle diverse forze.... Anche l'astuzia è una forza, dacchè s'ingegna a vincere. Sia essa lotta di tigre o di serpente, di leone o di lupo, di volpe o d'aquila, è sempre lotta!... E chi perde ha torto!... perché se non altro ha il torto d'aver perduto per non aver saputo vincere!... O vittime, o carnefici!... Per la vittima;

nulla!... pei carnefici la preda,... poi vittime e carnefici spariscono dalla scena, ed il tetro fantasima del nulla stende il suo manto sugli uni e sugli altri.

Chi ha creato il dolore?...l'uomo; innanzi a lui egli rizzò dei fantasimi, si fè schiavo di ombre, poi si provò a distruggere, ma talentò ad altri tener ritti quei simulacri ed egli si trovò impotente ad atterrare quanto aveva prima edificato.

IO.

No, no, meglio la menzogna della fede che il cupo positivismo del nulla.

LUCIFERO.

Ed a che prò mentire a te stesso?...

IO.

Nell'illusione sta la vita.

LUCIFERO.

L'illusione è ignoranza, perchè è inscienza della verità, e l'ignoranza è stupidezza morale che abbassa e deturpa....

IO.

Ed è forse bene la scienza, quando la conoscenza della verità sia il disinganno di tutto?... cosa ne avviene dopo ciò?...

LUCIFERO.

L'egoismo!... esclamò egli con orgoglio beffardo;... l'egoismo cammina ed arriva alla propria meta.... nulla è per esso fuori di lui. Fissa un punto e di' a te stesso: voglio esser là.... Mettiti in via e ci sarai!... Il fulmine parte e giunge!...

IO.

Ma abbatte quanto incontra... Egli distrugge per giungere.

LUCIFERO.

Fanciullo!... e cos'è che non sia distruzione nell'elemento vitale dell'esistenza? Distruzione è riedificazione!... Tutto tramuta, nulla scema!... tutto sta nel vincere o nell'esser vinto!... e nell'assumere la propria parte in questa ridicola commedia!... posare da vittima, e far da serpente.

Bello della sua fiera imponenza egli fissava in me quel fulmine a sguardo che mi ricercava le più intime latebre del cuore.

«Io ho tenuto il mio patto, mi disse egli poscia. Vuoi tu la vita che ti offro?...

«Taci Satana, non mi tentare.... mormorai io ancora, perplesso e dominato da uno strano fascino.

«Eccoti la tua scritta, messer Poeta, ti ritrarresti?...

«Ti chieggo un pò di tempo ancora a riflettere. — I suoi sguardi erano fissi in me come due raggi di fuoco; parevami che l'aria si facesse grave intorno a me.... che la terra oscillasse sotto ai miei piedi.

«In che credi tu ancora?... mi sogghignò egli all'orecchio, mentre sentiva l'adunco artiglio serrarmi al braccio intirizzito come da gelo mortale.

«Un pensiero rapido come lampo mi scattò dal cervello... Nell'avvenire!... gridai coll'affannosa ansia del naufrago che veda a lui dinnanzi fuggire la sponda, e si senta smarrire nell'immensità dell'oceano. Non avevano ancora le mie labbra terminato di articolare la magica parola... che un armonioso concento intesi fremermi dolcemente d'intorno, e viddi empirsi di luce le tenebrose latitudini dello spazio.

Cercai il mio maestro, come per richiederlo di quel portento improvviso. Egli era sparito, e sentiva il suono lontano della sua beffa, fatto appena intelliggibile e che si perdeva in un mormorio confuso coperto dall'armonia che inneggiava sul mio capo a quella nuova alba di cui mi trovavo sorpreso spettatore.

Alleluja! alleluja!

(così diceva quel canto di spiriti celesti, — che vidi poi distintamente carolare per lo spazio innondato di luce).

Alleluja! alleluja!

Ancor la buja

Lotta del male e combattuta e vinta.

Alleluja alleluja!...

Di novello splendor, uomo recinta

Leva la fronte e nell'eterno vero

La fede ingigantisci onde il pensiero

Arda fiamma immortale!...

E verso i campi arditi della scienza

Spiega l'ale!...

Alleluja! alleluja!...

Gli astri esultino!...

De' più leggiadri fiori s'orni il prato!...

E il cherubino alato

Al trono dell'Eterno il più devoto

Sciolga degli inni suoi!...

Della sua luce

Per l'eterea magion la tromba squilli!...

Che le glorie dei ciel canta al Signore,

E il santo amore!...

Rapito dalla melodia di quel canto io stavami tutto assorto, e viddi farmisi incontro una splendida figura. Il suo aspetto era d'angelo; bionde ed in copiose anella scendevangli le chiome d'oro sugli omeri d'alabastro!... Un sidereo serto raggiavagli sulla fronte.

«Sono il genio del mondo, mi parlò lo spirito!... Io sono l'avvenire che hai invocato e sorgo dal passato, come la luce che ti circonda successe alle tenebre che prima li avvolgevano.

Io sono l'avvenire e passeggio sulle rovine del mondo che fu, e traggo dai suoi errori la scienza del progresso umano, che cammina gigante coi secoli che a lui d'innanzi gli appianano la via!...

Io ascolto la voce della donna, noto il gemito dei popoli!... guardo la tresca dei re; numero le fatiche dell'operajo, e le orgie dell'egoista; ascolto la preghiera del fanciullo e la bestemmia dell'uomo...

Vivo nelle sudate pagine del filosofo come nelle creazioni del poeta!... Analizzo il male per trarne la fonte del bene; raccolgo memorie e tradizioni e cammino verso la mia meta che non ha confine! Atterro la bandiera d'un mondo che agonizza e su cui sta scritto: arbitrio, ignoranza, menzogna, per innalzarne un'altra su cui scrivo: emancipazione, libertà, amore!... l'emancipazione della persona, la fratellanza delle genti, l'amore anima dell'universo!... La corruzione della famiglia ha prodotto la corruzione dei popoli!... la condanna della donna, la servilità dell'uomo!... Le ire dei popoli mostrarono l'ingiustizia della tirannide. Crollerà questa per la sua impossibilità, si spegneranno i pregiudizj affogati nel male istesso che essi crearono!... La tradizione del passato preparerà l'avvenire!... l'errore distruggerà l'errore, perchè è l'errore che insegna il dogma eterno della verità.... scrivi dunque, Poeta, e porta tu pure la tua pietra alla riedificazione di questo vasto edificio che è la ricostituzione sociale.»

La visione scomparve.... Io scrissi, il perchè non lo saprei.... con quale scopo?... non me lo sono chiesto!... In ogni caso l'avrò fatto perchè se a caso fra trecento e tanti mila anni dovessi imbattermi in un mondo che fosse diverso da quello che ora è, non abbia a rendergli conto d'una trasgressione.

Ma davvero che, guardandomi ben attorno ne ho poca fiducia, onde meglio sarebbe forse stato che morto com'era non mi fossi più destato!... Ma tanto fa!... quello che ho detto ho detto, e chi non mi crede lo domandi al diavolo...; è un cortese compare e non gli tarderà la risposta.

FINE.

ADELIA

CAPITOLO I.

Comune storia che finge pur il vero,

A voi fanciulle io narro!...

Spuntava il sole d'un bel giorno di giugno. Le tremolanti cime degli alti pioppi che imboscano le valli del mantovano erano avvolte in un'oncia di luce e si disegnavano nello spazio in bizzarri frastagli.

Appoggiato al parapetto del ponte di S. Giorgio, vedeasi un giovane dalle sembianze dilicate, dalla pupilla animata, dai capelli che a lunghe ciocche scendevangli intorno alla fronte alta e serena.

Egli seguiva astrattamente l'incresparsi delle calme acque del lago, sul cui dorso vedeasi guizzare qualche gaio pesciolino che le solcava d'una bella striscia d'argento, mentre il sole che innalzavasi a poco a poco imperlava i verdi ligustri bagnati ancora dalla notturna rugiada.

Fra quella folta selva di giunchi che si estende sulla riva sinistra del lago, l'usignuolo modulava la sua mesta nota; il gardello dalla cima di qualche antico pioppo trillava il suo armonioso gorgheggio; gaie villanelle passavano il ponte adorne del loro più bell'abito festivo; da lungi udivasi lo schioppettio allegro delle fruste agitate dai merciajoli che spingevano le loro rozze alla piazza, che s'ingrossava di rivenduglioli.

Era insomma una mattina d'un bel giorno di festa, ed il pensiero ti si esilarava nel contemplare quella scena così poetica nella sua amena semplicità.

Il giovane che erasi recato a diporto lasciando errare intanto il volo del suo pensiero intorno a chi sa quante illusioni che leggiadramente andava forse accarezzando, ritornò sopra a' suoi passi, e cacciatosi sotto al portico dei Mercanti, movea difilato verso la chiesa di Sant'Andrea.

Era l'ora della messa; il comico teatro rituale rigurgita di spettatori pel solo scopo che lo spettacolo si dà gratis!

La piccola piazzetta detta del Bocchetto era ingombra d'ogni sorta di gente; l'occhio avido ed impaziente del giovane ben s'internava tra quella folla compatta, ben egli si rizzava sulle punte dei piedi per guardare al disopra delle teste, che rasentava collo sguardo, e bestemmiava contro la devozione cattolica col maggior garbo possibile!...

Perchè un fremito l'investe in tutta la persona?... perchè i suoi occhi mandano un così vivo lampo di gioia?...

— È già tardi, mamma, disse una voce dolce e soave a pochi passi da lui, e la leggiadra giovinetta dalla cui bocca erano usciti quegli accenti, trascinava dietro a sè verso il tempio una donna d'aspetto posato, per un lembo della sua veste di seta nera.

Carlo fece un atto di sorpresa e guardò la folla che gli serrava il passo come guerriero che misuri d'un colpo d'occhio la forza del nemico; strinse i gomiti e si dispose a farsi largo. Dal tempio si udì un modulato tintinnir di campanello... a quel suono la folla cadde ginocchioni, ed egli si vide ritto e come piantato in mezzo ad un livello orizzontale di larghi cappelloni di paglia e di cuffie a nastri rossi che gli si incurvarono dinanzi come capi di spiche al soffiare d'improvviso vento.

Datemi un punto d'appoggio e solleverò il mondo, disse Archimede... A Carlo mancò invece il punto d'appoggio; egli spinse i suoi due pugni inarcati nel vuoto e brancolò urtando contro qualche cosa che faceva parte del corpo d'una vecchia ottantenne, ed a cui la troppa divozione dava una prominenza troppo indiscreta!...

Egli vide però... la vide salire la larga gradinata, la vide volgergli uno sguardo; arrossire ed entrare, e fu questa credo la prima volta che egli trovò che il sanctus potesse servire a qualche cosa!...

Adelia, che tale era il nome della giovinetta, erasi inginocchiata accanto alla madre, egli era entrato in chiesa e potè a tutto suo agio contemplarla per qualche istante; i loro sguardi s'incontrarono... S'erano detti mille cose!...

Amarsi!... come è bella la vita!... quando la si comprenda in questa soave aspirazione dell'anima!... aspirazione santa!... come tutto ciò che è fede!... perchè fede è amore!... amore è giovinezza!... Vivere l'uno per l'altro!... poter ridirsi questa magica parola di tutti i cuori!... Correre insieme le fiorite alee d'un giardino, ascoltare il canto di un augello, darsi un fiore, scambiare un bacio, mormorarsi strane parole, palpitare di fremiti soavi, guardare il cielo che si adorna di un manto più fulgido di stelle per farsi più bello ai nostri occhi!... Il sole che sfavilla di maggior luce!... far proprio ogni volger d'attimo che concatena il tempo all'eternità, di cui si ama tutto! Le gioie che prodiga, i dolori che prepara... quelle belle giornate di primavera in cui si respira l'olezzo delle viole raccolte sul margine d'un fiumicello; quelle triste giornate di pioggia durante le quali vi raccogliete leggendo un libro, ridicendovi le mille volte quell'eterno ritornello che è il grido eterno della vostra anima, sempre nuovo perchè veste sempre le diverse forme delle impressioni che gli danno la vita!...

Ecco cos'era l'amore per Adelia!... era un fuggevole inseguirsi di giorni sereni e felici!... era un immergersi nella voluttà dell'oggi!... era un sorridere alla speranza del domani!...

Povero fiore avido di luce e di rugiada che appena schiude i suoi petali olezzanti, essa aveva ben ragione di chiedere alla vita il suo caro sogno di fanciulla!...

Perchè il dubbio, questo aspide dalla bava velenosa che s'avviticchia al verde tronco e ne sugge il miele, avrebbe dovuto tingerle l'aurora coi foschi colori del tramonto?...

No!... ridi e folleggia, o fanciulla, finchè ha un sorriso il tuo vergine cuore!... Ama e canta come la rondine che ti saluta il mattino dal trave ospitale dove ha fabbricato il diletto suo nido!...

Il capriccio innocente od un desiderio di rapina, un giorno glielo distruggerà, ed ella andrà poi gemendo per gli spazj raccontando all'aria la sua sventura e la triste storia dei diletti che generano le colpe!... Ridi e folleggia prima che il dolore impallidisca il bel vermiglio della tua guancia!... Prima che il pensiero appanni la tua fronte!... Spendi i palpiti del tuo giovane cuore prima che la disillusione te li inaridisca nel petto!...

Godi, fanciulla!... finché il tuo ciglio ha un lampo sereno; il mondo è tuo!... cogline i diletti, come il fiore che cògli attira un tuo sguardo. Ape leggiadra, aggirati pel giardino della vita ornato d'altari e di croci!... Canta alla vita ed alla morte la tua canzone, poi fenice dalle ali dorate, fatti un rogo di vimini olezzanti e coll'ultimo tuo canto prelúditi la tomba!...

CAPITOLO II.

Bello è il riso degli astri, e allor che splende

La compagna dell'ombre, e l'armonia

Del creato sfavilla a me discende

Dolce nell'alma una tristezza pia.

Caro è l'amplesso d'una madre, e santa

La parola che al cor parla la fede!...

Ma tutto tace se dal duolo affranta,

Ebbra d'amor.... non ha d'amor mercede,

L'alma che solo in lei sente la vita,

Nel delirio gentil con te rapita!...

Sol'io ramingo ricercando vado

Un cor che al grido del mio cor risponda!...

E d'una cara illusïon suado

L'alma d'amor digiuna e sitibonda!...

L'argenteo raggio d'una pallida luna baciava le nere chiome d'una pensosa giovinetta seduta sola e raccolta al piccolo tavolino da lavoro della sua stanza, allora che dalla strada s'intese il suono della mesta canzone.

Ne erano le note dolci come un sospiro e parea non domandassero all'eco che un altro sospiro ad intrecciarne l'armonia.

Quella giovinetta era Adelia.... si scosse.... tese l'orecchio con avida ansia.... i suoi begli occhi celesti scintillarono ardenti ed animati.... un incitato anelito le sollevò il petto ansante, colla leggiadra sua mano si compresse la fronte come se volesse frenare l'inquieta danza dei pensieri che dentro vi turbinava, si alzò tacita, accostossi al balcone che stava aperto.... forse per lasciar adito alla fresca aria della sera....

Ristette immota.... Un giovane svoltava l'angolo della vicina via; la giovinetta non potè udir altro che l'allontanarsi de' suoi passi.

Pure aspettò.... quel rumore tornò a farsi più distinto; vide un bel giovane dalla corporatura snella, dal volto pallido, dai capelli neri e lucidi, che ripassò senza levare lo sguardo, poi più nulla!...

Essa era ancor là.... guardava una stella il cui raggio le tremolava sul capo, e parevale che favellasse arcane parole alla sua anima che chiedeva alla vita il suo mistero!...

Come era bella! appoggiata a quel balcone, illuminata da quella mistica luce, che ne inargentava le chiome d'ebano!

Era pur bella!... china la fronte sul suo seno d'alabastro, simile alla Margherita di Ghoëte, che sfoglia il fiore della rivelazione, sfogliava essa i fiori del suo pensiero cercandovi il più bello ed il più olezzante!...

Come si disegnava bello il suo corpiccino di gazzella sotto alla sua veste bianca!

Essa non sapea ancora che nome avesse.... chi fosse il pallido giovinetto che aveva cantato sotto al suo balcone la romanza del sospiro!...

Ma che importa al cuore che ama di un nome?... Si sovvenne della prima parola colla quale l'aveva chiamata baciandola sua madre, e la mormorò stemperando la sua anima in un sorriso. Mio Angiolo!...

Povera Adelia!

*

*   *

È mezzanotte!... la luna che ha irraggiata quella scena, ha nascosta la sua faccia luminosa in seno a fosche nubi. Da che ritorse inorridita il suo raggio?... Dalle socchiuse griglie di un'altra casa s'ode un tintinnio di bicchieri... grida.... un nome.... poi uno scoppio di risa... poi una parola mormorata da due labbra nello scambio di un bacio: Povera Adelia!

CAPITOLO III.

Spiegazioni

Insomma!... l'amava o non l'amava?... mi domanderà il lettore.

O che bel vezzo è mò questo di tradurci innanzi il vostro protagonista mentre aspetta il sole che nasce, che poi fa quasi a pugni d'innanzi ad una chiesa per veder in viso la sua bella!... per mandarcelo ad un tratto chi sa dove... a profanare in un'orgia chi sa qual nome... Signor novelliere!... l'è questo un andar a sbalzi che non ci garba gran che!... E poi... chi è questo signor Carlo che sta guardando i pesciolini che guizzano, come uno scolaro del Seminario!... che canta delle romanze che sono andate giù di moda, e che dato poi uno scappellotto a tanta ingenuità preadamitica ci fate smarrir d'innanzi, lasciando a noi da lambiccare il dove abbia potuto cacciarsi....

Affè, dico io.... cosa importano mò a voi, belle lettrici, giacchè è per voi che butto giù questa novelluccia da strapazzo! cosa importano a voi i connotati più o meno speciali e fotografici dell'eroe di questo racconto?... prima di tutto.... disse, ed a ragione, un nostro chiaro scrittore, che al dì d'oggi quest'ufficio che altra volta era un privilegio dei romanzieri, se l'han preso certe persone che hanno tanto a che fare colla poesia come il Patio nel Corano!... sebbene sia merce dell'istessa stoffa!...

D'altronde, sapete perchè v'ho accennato il suono de' suoi passi, invece di disegnarvelo, spendendovi dietro una dozzina di paginette?... prima di tutto perchè si vuole che io faccia presto!... in secondo luogo ho pochissima voglia di scriver molto!... e poi, perchè credo che l'uno per l'altro il suono dei passi lo rendano tutti con una certa qual prossimitività d'uguaglianza, dalla quale voglio trarre pressochè una norma dell'uguaglianza dei difetti e delle virtù, di bene e di male, onde s'informa questo ammasso d'ossa e di carne, di sangue e di vene, che costituisce il meccanismo di questo logogrifo ambulante che dicesi uomo, mentre agisce su questo vasto teatro che dicesi mondo!... rappresentando questa farsa comicotragica che dicesi vita!...

Tutt'al più sarò obbligato a dirvi l'espressione esterna dei suoi lineamenti, e se ben non m'inganno sembrami avervi detto che era bello, pallido, così come un ritratto al dagherotipo esposto alla curiosità dello sguardo.

Guardava i canneti indorati dal sole, cantava una romanza sentimentale passando sentimentalmente sotto ad una finestra, poi andava ad orgiare salutando con un brindisi l'idea conquistatrice del bollente suo spirito!...

Lo faceva così.... perchè tutti gli uomini hanno vari momenti nella loro vita che prendono tinte analoghe dalla loro posizione, come le acque riflettono i colori del cielo, e subiscono lo stato degli elementi!... Oggi si piange, domani si ride!... oggi si dorme, domani si muore; differenza di posizione!... Giuoco d'ottica!... Uno dei fili arcani da cui sono mosse le suste delle marionette terrestri subisce una oscillazione, un altro si spezza, ed eccovi perchè chi è sano s'ammala, chi è vivo muore, chi è ricco diventa povero, chi è onesto si fa ladro!...

Cambiamento di luce nella gran lanterna magica del creato!... Sviluppo di forme partorite dallo sconvolgersi degli eventi sul terreno del tempo!...

Bah!... follie o grandezze a seconda del modo con cui si vedono le cose. Sinonimi e figure, ombra e luce, finchè cade la tela dell'ultimo atto, finchè il passato si confonde coll'avvenire, e l'avvenire si sperda ombra fatua nelle tenebre del nulla!...

Ma lasciamo queste oziose digressioni!

Erano scorsi varii giorni dall'incontro dei due giovani tra la folla che li divise.

La giovinetta seguendo la buona madre era uscita dal tempio, e Carlo l'aveva occhieggiata a suo bell'agio; s'eran scambiati un sorriso, poi allegramente s'era recato a stanare un gajo crocchio d'amici, coi quali passò la giornata, impiegando di cuore tutta la sua volontà in un buon achitto al bigliardo del caffè Partenope, quanta ne adoprò per dare ai suoi sguardi un'espressione che rivelasse all'ingenua donzella il ritornello a metro obbligato di tutti gli amanti, più o meno amanti od amati!

Carlo però nulla aveva a fare!... ne veniva di conseguenza che gli rimase molto tempo per pensare al suo amore!...

S'avvicinava l'inverno, e le passeggiate romantiche che si fanno così volentieri allo spirare della tiepida aria di primavera, alla fresca aria delle sere d'estate, poi con meno diletto fra le nebbie dell'umido autunno, diventano tremendamente nojose alla rigida brezza delle sere d'inverno!... Allora si sente il bisogno d'un buon fuoco, per quanto il cuore ci possa avvampare ardentemente!... la mente spazia nelle soavi voluttà d'una ben fornita cena; al suono de' baci dati e scambiati; fra il tintinnir delle tazze colme e vuotate ed al frizzar vaporoso dello champagne!... Almeno così la pensava Carlo!...

Per un po' di tempo stette lambiccandosi il cervello; ma.... cosa non consiglia l'amore?... ed il freddo?...

Adelia aveva un fratello; giovane di svegliato ingegno, che si era dato allo studio dell'avvocatura e doveva partire a giorni per Padova, onde terminare il suo corso universitario.

Al nostro eroe arrise una di quelle stupende circostanze che non si presentano due volte, e che non bisogna mai lasciar sfuggire alla prima!...

Davasi una cena; una gaja brigata d'amici erasi raccolta innanzi ad un buon fuoco, da cui era riscaldata un'allegra sala da pranzo!...

— Ebbene?... cosa c'è di nuovo a questo vecchio mondo? diceva un giovane attillato, arricciandosi sulla fronte una ciocca di capelli che gli davano un'aria più che poetica.

— Bah!... sempre la stessa storia, rispondevagli dalla sua seggiola a bracciuoli un uomo che poteva prendersi a prima vista per quello che voleva mostrar d'essere, mentre vuotava un colmo bicchiere di nebiolo; la storia del lupo e della volpe!... ingannati e ingannatori!...

— E ingannatrici.... soggiungeva un altro.

— Bravo! nessuna eccezione, ribatté Arturo.

— Libertà ed eguaglianza.... confermò l'uomo che poteva parer giovane.

— E tu Carlo?... non fai eco?... cos'hai?... I diavoli neri ti frullano in capo?

— Credo che sia un demonietto roseo, saltò su a dire ridendo Arturo.

— Nulla, rispose Carlo: cosa volete che abbia! sono annojato, ecco tutto.

— Bevi!... inauguro un brindisi col rondò della Traviata!...

— Per carità, Adolfo, esclamò Carlo sbadigliando, non mi parlare di traviate!...

— Hai ragione, sono troppe!... Abbondanza nel numero e nella specie!... questo però non toglie che Verdi abbia scritto della musica sublime.

— Evviva Verdi!

Adolfo si empiè il bicchiere e lo vuotò lasciandosi andare sovra una sedia canticchiando ad onta dei.... sss!... degli amici un brano della sua opera favorita.

— Ma silenzio! che il diavolo ti porti! sento rumore nell'anticamera, disse Arturo alzandosi.

— Sarà l'invitato di questa sera.

— Ah!... l'amico Enrico! grida Arturo; e slanciandosi fuor della sala ricomparisce presentando all'adunanza il fratello di Adelia, che vi fu accolto con tutti quegli onori pieni di confidenza che si prodigano in tali circostanze.

Il fratello di Adelia era un bel giovane dalla fisonomia franca ed aperta; vero tipo di studente

Che studia poco e non impara niente!

come dice Fusinato.

Non è a dirsi che in un momento egli fu l'amico di tutti, tutti furono suoi amici. Non è a dirsi come Carlo gli fosse prodigo di delicatezze e di cortesie.... come gli offerisse tutto sè stesso.

L'indomani per tempo, Carlo batteva alla porta della sua casa, saliva con qualche trepidazione le scale....

— C'è il signor Enrico? domandava ad una fantesca che era venuta ad aprirgli.

— Oh, benvenuto l'amico Carlo!... esclamava una voce allegra a pochi passi da lui.... Enrico gli veniva incontro tutto cuore ed espansione.

— Mio caro Enrico, mantengo la mia promessa, rispondevagli Carlo con aria un po' imbarazzata.

Enrico l'introduce in un elegante salotto, alla stanza da lavoro, dove sua madre stava allestendo quei tanti nonnulla che occupano tutta la vita della donna di famiglia.

— Mia madre.... ti presento il signor Carlo T.... mio amico, ottimo giovine della cui conoscenza mi chiamo fortunatissimo!...

La madre di Enrico si alzò contraccambiando. Carlo vi rispose con una modestia che colmò d'ammirazione la buona signora.

Da una vicina stanzetta, forse dal nido dell'innocente colomba che allegrava col suo sorriso quel soave albergo della pace, s'intese un lieve rumore....

All'orecchio di Carlo non sfuggì un piccol grido soffocato che suonò dietro alle cortine che adornavano la porta.

Un volto pallido ed animato si mostrò nello stesso istante tra la fenditura della tenda.

— Mia sorella.... disse Enrico volgendosi a Carlo.

Carlo fisso in quell'angelica apparizione, appena seppe trovare qualche parola che nascondesse agli occhi che lo guardavano il segreto del suo cuore!...

CAPITOLO IV.

. . . . . . ? !

Carlo diffatti col frequentare la casa durante la dimora che vi fece Enrico, s'era acquistata quella domestica intimità alla quale agognava in pensiero. Andavano le cose per tal modo che se era per lui ardente brama toccare la soglia diletta, era abitudine in quei di casa vederlo, talchè se a caso mancava ad alcuna di quelle riunioni ove solea trovarsi, chiedevasi dalla buona madre di Adelia, dove fosse.... e cosa ne potesse essere avvenuto.... Era insomma come suol dirsi della famiglia!...

Adelia dal canto suo ne era beata; a lei la fronte splendeva animata da una gioja che prometteva di durare eterna!... Ma quante promesse non mentono?... incominciando dai programmi dei giornali, fino ai dispacci dell'Agenzia Stefani?...

Se l'amore che si svolgeva nella sua anima gentile e pura, ne aveva accarezzati gli infantili abbandoni.... le patetiche meditazioni.... le malinconie incomprese.... aveva anche rivelata la donna nella fanciulla: se coltivava con più cura il suo giardino.... prediligeva anche il nastro che dava più eleganza al suo corpiccino; la pettinatura che faceva spiccare di più il suo occhio di gazzella.... la sua fronte d'alabastro.... le sue gote rosee, fresche, come se dormiente il bacio d'un angelo gliele imperlasse coi colori del giglio e del melagrano!...

Sul suo terrazzino cresceva la sua prediletta famiglia di fiori; ella era sollecita d'inaffiarli appena credeva che potessero essere offesi da un raggio troppo ardente di sole!...

Come li amava i suoi fiori!...

Erano ben essi i soli testimoni de' suoi dolci colloqui!... sentivano sol'essi il suono del bacio furtivo che sfiorava le sue labbra di corallo....

Era sopra a quel piccolo e leggiadro terrazzino che soleva recarsi anelante, tremebonda, ad aspettare una parola che alimentasse la vita del suo cuore, come essi aspettavano la rugiada della sera per aprirsi rigogliosi col mattino.

La buona signora Caterina.... la madre della fanciulla, notava quello sviluppo del cuore e dell'intelligenza e ne gioiva, come gioiva Adelia quando vedeva sul suo cespo sbucciar la rosa che aveva fatta germogliare con tanta cura!...

Era il frutto della sua educazione semplice e pura, che aprivale innanzi i suoi tesori.... Povera madre!... Credo che gli angeli, che la sublime poesia del cristianesimo ha simboleggiati con immortali simulacri, sorridessero del suo sorriso ma non sempre sul ramo della rosa canta l'usignuolo!... Anche tra i pruni egli modula la sua canzone d'amore!... Povera Adelia!... In faccia alla buona madre era così modesta la parola dì Carlo!...

Quando si stringeva al petto l'innocente fanciulla, baciandola sulla fronte, era così commossa la sua voce....

La menzogna può ella vestire una forma così turpe?

L'anima può ella insudiciarsi nel lezzo della colpa, quando espande dalle labbra un profumo di cielo?...

Era una sera.... la madre incomodata lievemente, erasi coricata; Adelia che intenta la vegliò sino ad ora piuttosta tarda, diè a lei la felice notte con un bacio, poi si ritrasse nella sua cameretta.

Poco vi stette; tacita tacita s'avviò verso il terrazzo....

Perchè trema così la sua mano che si appoggia alla spalliera di marmo dei suoi fiori?... È un fremito dolce che investe le sue fibre.... È l'ansia d'un cuore per cui non è vita che tra le braccia dell'essere a cui ha consacrati tutti i suoi palpiti!... un istante!... un altro ne trascorre accelerando le pulsazioni febbrili.... un supremo!... poi.... il paradiso d'un amplesso!...

Carlo è là.... bello.... sorridente.... La sua voce non ebbe mai così soave accento!... la sua mano non fu mai così ardente!... La sua pupilla non mandò mai lampi di un tanto amore!... Era ben amore quello che dentro vi raggiava!... Era un fuoco sottile, struggitore, che s'infiltrava nell'animo della giovinetta sino a farle smarrir la ragione!...

Essi erano là.... assisi l'uno presso all'altra!... il cielo era gemmato di stelle.... i neri e folti capelli della giovinetta le cadevano in abbandono sugli omeri di neve.... l'aria tiepida della notte scherzava tra essi, e pareva che mormorasse al loro orecchio una parola soave d'amore che essi solo comprendevano.

Carlo intrecciava le sue braccia al collo della fanciulla.... e la guardava con uno di quegli sguardi lunghi.... ansii.... pieni d'inebriante voluttà.... di domande a cui non si risponde, ma che si sentono dominarci... Ammutoliti entrambi tacevano.... eppur tacendo parlavansi strane parole. Il cuore della fanciulla si sentì serrato; il suo pensiero ebbe una vertigine. Il giovine la strinse al seno, non vide più che quel volto raggiante d'amore!... non aspirò che l'alito infuocato che gli usciva dalle labbra curve sovra le sue nell'atto d'un bacio.... Se la terra le si fosse sprofondata sotto ai piedi, ella non avrebbe amato di meglio che disfarsi nel nulla nella foga delirante di quell'ora d'amore!...

CAPITOLO V.

Sempre così . . . . . .

Abbandono!... suona ben trista sul labbro questa parola.... Quante memorie di piaceri, di speranze.... di gioje sfumate, di desideri incompiuti.... che passano dinnanzi allo sguardo lasciando nell'animo lo sconforto ed il dolore!...

Se l'autunno è la più mesta stagione dell'anno, se l'Ave Maria è l'ora più mesta della sera.... l'abbandono è la più mesta parola che amareggi anima mortale nell'ora dell'affanno, quando egli batte inesorabile alla nostra porta chiedendo ad ognuno la sua quota di lagrime.

Era sparito il roseo incarnato che faceva così belle le guancie della fanciulla.... i suoi occhi hanno perduta la loro gioviale vivacità, eppure quanto sono ancor belli!...

Invano la buona madre le sta intorno con affannose domande: — inginocchiata innanzi ad un'immagine di Maria che imparò a pregare sin dall'infanzia, essa prega.... e confonde alle parole rotti singulti. Per chi prega essa?...

Carlo non frequenta più cosí assiduo la famiglia.

— La nostra posizione ha bisogno di riguardi — susurra egli all'orecchio della giovinetta.

Un sinistro presentimento getta la tempesta in quel povero cuore; un terribile pensiero la spaventa; nelle angoscie del dubbio ella si strugge sotto gli occhi di colei che daria la vita per veder rifiorire sul suo volto quel sorriso che la faceva tanto beata!

*

* *

Passano i mesi, e col rapido fuggire di essi, cresce la cupa melanconia di Adelia. Un non so che di vago, di indefinibile, la agita, la turba.

Quasi con timore ella fissa i suoi occhi in quelli di Carlo.... le dolci parole di sua madre la conturbano.... Ella china il capo quando favellandole amorosa le siede appresso.

— Forse che più non m'ami?... Egli mi deve amare!... mormorò un giorno fra sè, come reagisse disperatamente contro l'immagine d'un pensiero!... Che.... che.... debba avvenire.... è d'uopo che egli sappia.... E non finì; un singhiozzo convulso le soffocò la parola nella strozza, si coperse il volto colle mani e pianse.

È raccolta la famigliuola nella saletta da lavoro, il fratello di Adelia che era ritornato da qualche giorno, è ripartito per Padova.

Una zia di Adelia, sorella della signora Caterina venne dalla campagna in quella vece a romper la noja per qualche giorno. Le due donne lavorano; Adelia pure trappunta; le sue mani piccole, bianche, agili, scrivono un nome sulla fina tela!... un nome che le suona così dolce sul labbro!... che gli echeggia così caro nel cuore!...

Carlo arriva.... egli è più gajo del solito; il sorriso di Adelia si anima tosto della sua gioja.... egli se ne improntò rapido come il cristallo che riceve la luce e che la spande d'intorno.

Eppure tutto ciò ha una forma vaga.... assomiglia la calma del mare quando vicina freme la tempesta; tutti sono muti e sono tristi pensieri al certo che concentrano intorno a quel crocchio domestico quel silenzio sì cupo.

Adelia ha trascurato i suoi fiori, poi ha pianto per qualche esile pianticella che trovò appassita; le sembrò che fosse una speranza di meno che si sfrondava dall'albero delle sue illusioni!

Chè chè avesse però fissato.... venne il giorno che nel suo pensiero Adelia ebbe fisso.

Carlo era secolei sul terrazzino; ve l'aveva tratto con dolce violenza; pareva che la fanciulla sentisse il bisogno d'annodarlo al suo passato, evocandone la dolce memoria.

Egli pareva fuggire con ogni studio quel colloquio....

Cosa si dissero?... che avvenne?... Un grido disperato d'angoscia.... come il singulto di un'anima che franga i suoi vincoli di carne, ha eccheggiato lungo i deserti appartamenti ed arrivò fino all'orecchio delle due donne che lavoravano.

Esse accorsero.... trovarono la fanciulla sola sul terrazzo.... teneva gli occhi fissi sovra la scala dalla quale qualcuno era sceso.... quando si riscosse si gettò singhiozzando nelle braccia della madre.

Povero cuore!... quanto doveva aver sofferto. . . . .

È una fredda mattina di febbrajo; una fitta nebbia fa argine ai pallidi raggi di un sole senza calore. Il passero se ne sta rattrapito sulle grondaje e par restío di spiegare il suo volo agile e leggiero. Il funebre rintocco di una squilla vaga mestamente per l'aria pesante, umida, bassa.

Adelia curva la fronte dal dolore, eppure calma e serena nella coscienza di sè stessa attende l'ora funesta che gli aleggia intorno.

Pallida più che le bianche cortine del suo letto, ella giace là.... e nel suo sguardo fisso, quasi immoto, nuotano ancora le memorie dei giorni troppo presto trascorsi!...

Tutto è silenzio.... e soltanto il soffocato singulto della povera madre che veglia al capezzale della giacente, turba quella quiete solenne.

La giovinetta si scosse; il suo occhio incontrò quello della madre umido di lagrime.... colla scarna mano si strinse al seno quella fronte amata!... Le loro labbra si toccarono.... mandarono un sospiro... non dissero una parola!... qual incomparabile poema d'affetti!... quante pagine del cuore umano svoltesi in un attimo!... quante rivelazioni arcane comprese in un fremito!... qual domanda di perdono!... o qual risposta di adorazione!...

— Ancora non venne!... mormorò ella, distogliendo lo sguardo dalla porta che rimanevasi chiusa.... Sempre chiusa!...

La povera madre non le fè risposta: e sì che aveva tante cose a dirle!... La poveretta comprese quel suo pensiero; le sorrise.... le sorrise con quell'abbandono straziante che indovina il riposo della tomba!... e solo gli increbbe di lei.... di quella povera donna che lasciava sola, con un pensiero da accarezzare, con una memoria da amare, con un sepolcro su cui piangere!...

Sorgeva il sole del domani: una donna raccolta in uno di quei profondi dolori per cui la parola non ha conforto, per cui il labbro non ha nome, pregava sovra una fossa appena scavata nel cimitero. Intrecciava pochi fiori ad una croce, li baciava e sembravagli che col loro olezzo le parlassero l'ultimo addio del suo povero angelo.

L'istessa sera i vetri di una casa riflettevano la luce di dorati doppieri. Carlo volteggiava con una vispa donzella tra le melodie d'un valtzer, e mormorava all'orecchio della sua danzatrice la solita menzogna di tutti, e di tutti i giorni: t'amo!...

ULISSE BARBIERI.

PLAUTO ED IL SUO TEATRO

DUE PAROLE D'INTRODUZIONE

Nelle diverse manifestazioni dell'arte, può l'osservatore cercare lo sviluppo del progresso umano, ed a ragione disse Vittor Hugo che per immediato riflesso in due cose si rivela. – Sul teatro e nel libro.

La storia colle sue date, coi suoi nomi!... colla varietà dei suoi fasti; colla lunga schiera degli uomini di cui ci trasmette gli eroismi o le infamie! La storia questa nemesi fatale pei tristi!... questo conforto dei buoni – questa imponente figura che scrive sui marmi il progresso delle nazioni e la vita dei popoli. – Questo immenso quadro dell'umanità che ci rivive d'innanzi – del mondo di cui ci fa assistere allo spettacolo! – questa anima della vita infine!... – Con quanto interesse ci trae dietro alle incantevoli sue tradizioni!...

Lo studio positivo del realismo succede oggi fortunatamente alla fantasmagoria ideale del romanzo.

Un attività operosa sviluppasi sempre più, e nel campo dell'arte, in musica come in letteratura, sul teatro come nel libro si fa sentire la tendenza a tutto ciò che è serio.

Alla spigliata sceneggiatura della commedia così detta di giuoco, – ai graziosi equivoci della Pochade, al fatuo bagliore di un frizzo detto a tempo, – ai soliti mariti ingannati – alle mogli frivole – ai mille intrighi dell'amore – alla caccia delle doti, si preferiscono oggi quei grandi quadri innanzi a cui sentiamo di rivivere in un passato ricco di tante memorie.

Si va verso l'avvenire e si direbbe che si sente il bisogno di guardarci indietro per persuaderci di poter affrontare questa infinità ignota e seducente che sta davanti a noi.

Alle avventure degli antichi cavalieri della tavola rotonda – ai Faublas! ed ai moschettieri, si sente il bisogno di sostituire qualche altra cosa.

Lo studio della storia incomincia ad allettare le giovani menti, e sul campo della scena agitansi questioni sociali, e riproduconsi le più chiare individualità il cui nome ricorda un Epoca!...

Ferrari scrive il Viglius - Marenco prepara un Lutero dopo aver scritto il Raffaello - Giacometti scrive un Milangelo dopo aver tratte sulla scena le sublimi figure di Sofocle e di Tasso, - Salmini completa il Maometto, e Cossa dopo il Nerone rende possibile sul teatro la rappresentazione di un lavoro come il Plauto in cui è lasciato in disparte tutto ciò che si crede la vita esenziale del dramma, vale a dire l'interesse dell'azione, ed il movimento delle passioni, per divertire lo spettatore colla esposizione d'una successione di quadri storici che hanno una vita tutt'affatto propria.

L'arte dunque trionfa!...

L'arte che fa di sè stessa il tutto!... L'arte che frange ogni vincolo per dire, sono mie tutte le forme con cui può o vuole rivelarsi l'ingegno umano!...

Vedendo con piacere svilupparsi questa avida ricerca del passato, mi parve opera non affatto disutile compendiare in un ristretto volume quelle notizie sul Plauto che potei raccogliere dagli storici che ce ne tramandarono le memorie.

Alle personali notizie sul poeta a cui il teatro italiano deve gran parte del suo primitivo sviluppo, cercai congiungere i diversi particolari che riguardano quella lontana epoca, per dare un'idea esatta dello stato del teatro e delle forme dell'antica commedia.

U. B.

CAPITOLO I.

Roma e l'arte Drammatica

all'Epoca di Plauto.

Dopo le vittorie che la resero signora del mondo, Roma si riposava. – Roma la gran madre dei Scipioni e dei Gracchi il cui più bel giorno come soleva dire Catone, era quello in cui il sole rischiarava una battaglia!... – Superbo riposo però!... Nella città dove si festeggiava il trionfo di Zama e la sconfitta di Annibale cogli inni di Nevio, il cantore immortale della gloria dei Scipioni, agitavasi la divina lotta dell'arte!...

In mezzo alle gigantesche lotte delle guerre puniche s'inspirarono a robusti e forti concetti Nevio, Ennio, e Plauto Terenzio e Catone in cui spicca una assoluta personalità piena di vita. Nell'audacia dei loro saggi drammatici ed epici, sentesi che quei poeti aveano qualche cosa del guerriero. – Fumavano ancora le rovine delle città distrutte. – Ruggivano sitibonde di sangue dal Circo le fiere. – Preparavansi i gladiatori alle mortali lotte mentre essi scioglievano i loro canti, cercando di fondere colle armoniose dolcezze dell'arte greca gl'impeti ardenti del loro carattere romano.

La letteratura però non era nel suo fiore ne era quella un epoca in cui potesse essere troppo apprezzata!...

Plaudivansi i canti di Nevio che celebrava le vinte battaglie, ma preferivasi veder l'arrivo del vincitore che dietro lui trascinava incatenati i vinti nemici!... ed alla descrizione poetica d'uno dei ludi del Circo preferivansi i ruggiti delle tigri affamate ed il grido supremo della vittima di cui si poteva ammirare la convulsa agonia.

I capolavori della letteratura greca colpirono però le menti e fuvvi un momento di vera mania in cui tutto fu greco... teatro, scultura, architettura, filosofia... Mania contro cui tanto imprecò il barbero Catone che vedeva in ciò il principio della decadenza romana!... – L'alito delle future rivoluzioni spirava in Roma. Si sentiva l'avvicinarsi di tempi gravidi di procelle... – Gli ordini delle vecchie gerarchie sociali erano tocche dal mordace sarcasmo della satira. – Il Gravoche con cui Vittor Ugo simboleggia quello spirito d'indipendenza che si sviluppa col tempo e cammina a lato agli eventi, quel monello che sale sulla statua di Enrico III, e si trova più grande di lui, perchè gli sta sopra, metteva fuori il capo tra le pieghe delle toghe consolari. – Si osava guardare in faccia a questi semidei che tuonavano dal foro!....

È vero – che per aver detto troppo liberamente quello che pensava dei patrizi, più d'un poeta fu condannato all'esilio, ma tutto sta nel cominciare... – La forma drammatica del componimento che più direttamente influiva sulle masse, era però tenuta in poco conto, e la posizione d'un uomo attore, consideravasi anzi disdicevole per un nobile romano. Lo scrivere drammi o commedie era un vero mestiere e Pacuvio e Terenzio ne fecero l'esperimento passando spesse volte sotto forche caudine della miseria, donde venne il detto Carmina non dant panem!... lamentevolmente tramandato alla posterità come un sospiro dello stomaco poco sazio dei poveri autori.

Fu soltanto all'epoca di Silla che la posizione del poeta drammatico o tragico migliorò. Già allora ai comici corrispondevansi mercedi, l'attore e l'autore potevano pretendere compensi della cui larghezza cancellavasi un pò la macchia attribuita a quella professione ed a poco a poco si innalzò anche la poesia scenica ad arte libera; in prova di che abbiamo Lucio Cesare occupato a far progredire l'arte drammatica romana orgoglioso d'avere un posto nel congresso dei poeti accanto ad Accio.

La tragedia era però rimasta allo stato d'immitazione della tragedia greca, e preferivansi gli originali sublimi nel genere, di Senofonte e di Menandro.

La forma che avvantaggiò rapidamente sulle altre fu la commedia perchè più esplicitamente serviva a chiarire il concetto dell'autore e prestavasi più a riprodurre idee e cose.

I poeti tragici non coltivarono che l'epopea e sdegnavano tutto ciò che non fosse tragico; restava dunque aperto il campo al poeta comico per occuparsi delle altre classi del popolo che sentiva maggiori bisogni d'istruzione e su cui l'arte rappresentativa poteva esercitare un utile influenza.

Terenzio è una delle importanti apparizioni storiche nella letteratura romana. Nato nell'Africa Fenicia trasportato giovinetto a Roma come schiavo, e quivi educato nella coltura greca, egli sembrava destinato a restituire alla commedia neoattica il suo carattere cosmopolita, ed è con Plauto uno dei più celebrati drammaturghi che s'iniziò lo sviluppo della letteratura dell'epoca.

CAPITOLO II.

Forme della Commedia Romana

Terenzio e Plauto.

Trattò il primo il genere borghese, il secondo il popolare. – Le commedie di Terenzio sono più elegantemente condotte e trattano questioni politiche e civili, quelle di Plauto hanno per scena la taverna o la strada. Vi è però in Plauto più sveltezza nella forma, e maggior brio: La sua favola tocca sul vivo, punge caratterizza, ed è sempre faceto, e divertente. Terenzio molto meno drastico, fa capitale di tutto e non trascura alcun accessorio a detrimento talvolta dell'effetto, ma con guadagno della logica. – Plauto dipinge i suoi caratteri a larghi tratti, sempre calcolando sull'effetto, che devono produrre nel loro insieme, Terenzio si occupa più dello svolgimento psicologico dell'azione!... A Plauto preme più l'effetto plastico. – Terenzio combatte ciò che è forma ottica come nei sogni allegorici. Plauto se ne serve come mezzo di personificare alcuni suoi concetti o produrre anche semplicemente un impressione. Pianto ha delle graziosissime sgualdrinelle, osti e lanzichenecchi con sciabole strepitanti; persone di servizio dipinte con particolare lepidezza il cui paradiso è la cantina!... il cui nume è il bicchiere!... – In Terenzio questa società è migliorata ed i suoi personaggi hanno un carattere più nobile. Si direbbe infine che in Plauto si dipinge un secolo che sta per incivilirsi, e che nel Terenzio è già incivilito.

Il dialogo di Plauto è veemente è chiassoso, e la mimica dei suoi comici per esprimerlo, deve essere animatissima. In Terenzio tutto vi è più compassato. – La lingua di Plauto strabocca di motti burleschi, di frizzi, di satire!... è un vero scoppiettìo, un fuoco di fila. – Se fa una caricatura la volge e la rivolge per tutti i versi e ne esce così ridicola che gli astanti come diceva Catone nei suoi momenti di buon umore, dovevano piangere a forza di ridere. Il dialogo di Terenzio non si permette invece simili capricci ed ha delle eleganti sottigliezze e degli arguti epigrammi.

Di fronte alle commedie di Plauto però, quelle di Terenzio sono molto inferiori per arditezza di concetto e per originalità e non offrono un progresso. – La sua forma è troppo schiava del convenzionalismo greco... ed in ogni suo lavoro si sente troppo Menandro da cui fu tolto. Plauto si servì pure della forma greca ma togliendo i suoi caratteri dal popolo in mezzo a cui viveva, ne fece delle creazioni più vere ed eminentemente romane.

Agitossi in questo periodo di tempo una fierissima guerra letteraria.

Avendo trovata la forma poetica e vibrata di Plauto, molto favore nel pubblico, quella slavata e fiacca di Terenzio fu accolta con grande opposizione.

Il poeta si difese però con dei prologhi e con delle controcritiche piene di polemica concludendo di non aspirare all'applauso dei molti ma soltanto al giusto apprezzamento dei pochi che comprendessero il suo scopo morale.

Si dice che persone d'alto affare lo appoggiassero per far trionfare il suo genere e far sparir dal teatro le commedie di Plauto.

CAPITOLO III.

Plauto ed il suo teatro.

Bakr il profondo storico, chiamò Plauto il vero padre della commedia romana.

M. Azzio Plauto, scrive egli, nacque di bassa condizione in Sarsina villaggio dell'Umbria . Dotato di straordinario talento e sprovvisto affatto di mezzi di fortuna si diede arrivato appena in Roma a speculazioni commerciali , finchè oppresso dalla miseria dovette abbassarsi a grave lavoro manesco nel quale frattempo scrisse le migliori sue commedie. Vuolsi che il numero di queste commedie ascenda a 130, di cui però Lelio non ne riconosceva che 25. – Le altre se non sono sue sono però state da lui riviste e ridotte da vecchi poeti latini . Varrone che scrisse su ciò un libro non ne vorrebbe, riconoscere che 21, e furono perciò dette Varroniane.

La causa di questa incertezza nacque dalla grande stima in cui era tenuto il poeta e molti altri cercarono di imitarlo scrivendo lavori che sotto il nome di Plauto correvano di teatro in teatro, fonte di lucrosi guadagni . Divennero le sue commedie ricercatissime dopo la sua morte , e gli edili le confusero con altre di certo Plautzio. – Da ciò ne nacque tanta confusione che difficilmente si può decidere quali sieno le vere sue, e quali, quelle che gli sono attribuite.

Come questo oggetto preoccupasse i dotti, e quanto impegno ponessero per poterne ricavare un risultato soddisfacente lo si scorge da ciò che narra Gellio. – Lerlio, Volcazio, Sedigito, Claudio, Aurelio, Accio, Atejo e Manlio, ed altri sommi grammatici di quel tempo s'ingegnarono a formare dei cataloghi, come risultato di lunghe indagini critiche. L'opinione di Varrone pare che sia la più positiva poichè si ritenne che ventuna fossero le vere sue commedie alla cui raccolta manca la Vidularia, che per essere una delle ultime fu forse stracciata o perduta. Di queste, poche sono intatte come Plauto le scrisse, ne scevre da lacune e da interpolazioni come dopo ciò è naturale supporre.

. . . .

Determinare il tempo e l'ordine di queste commedie, come dice Bakr, sarebbe impossibile; quindi i tentativi che si sono fatti per dilucidare questo punto, hanno condotto a risultati diversi e contraddittorj .

La prima delle commedie di Plauto nell'ordine accennato sarebbe l'Anfitrione da Plauto stesso chiamata nel prologo, tragicommedia , perchè i principali personaggi sono Dei. È affidata a questi la parte tragica, gli altri personaggi invece del lavoro sono messi in iscena comicamente. Ne risulta da ciò un bizzarrissimo impasto, ed è all'anfitrione che Plauto deve il più clamoroso dei suoi successi.

Egli ebbe forse l'idea di questo suo lavoro dalla Hilarotragædia di Riatone, o dalla commedia Siculodorica di Epicarmo o dalla commedia attica di mezzo . In ogni modo il soggetto fu trattato così bene da Plauto, che fu imitato nei tempi nostri da Moliere, da Boccaccio, e da altri.

Segue a questa l'Asinaria che è Owaypos di Demofilo e che dipinge a forti tratti la torpitudine dei costumi greci.

L'Adularia , tuttochè tronca un po' nel finale è una delle migliori commedie di Plauto. Egli prese però per base anche di questa, una commedia greca, ma vi lasciò soltanto la forma e trattò il soggetto con libera indipendenza da farne uscire animato e vivo un vero quadro di vita romana. Moliere istesso non fece che imitare l'Adularia di Plauto, scrivendo il suo Avaro.

Compose i captivi nel 560 ed egli stesso la raccomanda agli edili per lo scopo morale a cui è destinata . Ne è diffatti l'argomento svolto con maestria, con gusto, ed è trattata seriamente la forma del dramma, mostrando come egli sappia staccarsi anche da comici soggetti.

Circulio

È questa una delle sue commedie così chiamata, dal Parassito di questo nome che è l'attore principale di tante altre commedie della scuola attica. È tolta la

Casina

da una commedia greca di Dilfo. – La

Cestellaria

è una delle sue prime commedie, se non la prima che fu rappresentata come credono molti . L'intreccio ne è debole ma è sostenuto da un dialogo assai vivace e da alcune scene sorprendenti.

L'Ipico

imitato dal greco, è una delle commedie che a Plauto era più cara . È essa pure tolta dal greco, e manca del solito prologo. Assai rinomata è la

Mastellaria

detta anche Fasma che fu imitata poi da Regnard, da Addison, da Destonckes e da altri.

Le altre sue, sono il Miles Gloriosus, che rammenta il Bramarbas di Halblein.

Il Mercator scritto sulle traccie del Eutopos di Filemone.

Il Pfeudalus .

Il Pænolus imitato dal Carchedonias di Menambro.

Il Persa .

Rudens.

Lo Stichus .

Il Trinummus , imitato da Lessing nel suo Schatz. Questa, in un coi Captivi è una delle migliori commedie di Plauto a cui tien tosto dietro il Truculentus!...

.   .   .   .

Della Vidalinaria non si sono conservati che pochi versi... ai quali A. Mai ne aggiunse una cinquantina .

Delle supposte altre commedie del fecondo poeta questi sarebbero i titoli....

Acaristadium - Abroicus - Artamon - Astraba - Baccharia - Biscompressa - Bœotia -- Cacus ovvero Predones - Carbonaria - Commorientes - Colnadium - Cornicularia - Discolus - Feneratrix - Tretum - Frivolaria - Gastrion - Kortulus - Kakistus - Lenones gemini - Medicus - Nervolaria - Parassitus piger - Phagon - Ploconia - Scytha - Liturgus - Trigemini.

.   .   .   .

Il Quæuculus o Andularia è generalmente riconosciuta apocrifa benchè nei manoscritti porti il nome di Plauto e sia citata come cosa sua da Servio .

CAPITOLO IV.

Il mercante di schiave.

Girovagando nelle piccole borgate dell'Umbria, ove raccoglieva appena appena da sostentare la grama vita, il giovane poeta Accio Plauto, con pochi denari nelle tasche, con molta fede nel cuore e drammi e commedie che gli facevan ressa alla mente per saltar fuori, venne a Roma mentre con splendide feste solennizzavansi le vittorie dei Scipioni. Come il suo cuore dovette palpitare ponendo il piede in quella città delle meraviglie di cui ogni pietra parlavagli di grandezza e di gloria! - Egli era là!... sulla terra dei Scipioni!... nella patria dei Gracchi!...

Egli era in Roma e dinnanzi a lui affacciavasi un sogno pieno di bagliori. - Sentiva di calcare la terra delle favolose memorie! Istupidito quasi egli ne contemplò i monumenti e passò per quelle vie di cui ciascun nome ricordavagli una vittoria od un eroe... - Lo seguiva la piccola schiera de' suoi comici ed assediavalo di tante domande alle quali egli appena appena sapeva come rispondere. - Quando però ebbe pagato il suo tributo all'ammirazione, ritornò in sè, pensò che restavagli qualche cosa di più positivo da fare, e presa una buona risoluzione cercò una taverna ove rifocillarsi coi suoi comici ed attender l'indomani per provvedere ai proprj affari come meglio avrebbe potuto.

Per spender poco c'erano taverne dove si poteva allegramente trincare, e sotto gli archi delle basiliche v'erano ampie gradinate che potevano servire di comodo letto a qualcuno de' suoi attori nel cui animo c'era una grande ammirazione per quei gloriosi archi, e così pochi denari in tasca da farglieli trovare il più opportuno ricovero per passarvi una notte.

La notte pareva infatti tale qual conveniva per servir loro coll'infinito arco dei cieli, come il più ricco e splendido dei padiglioni, e Plauto stesso agitato dalla febbre della speranza e dall'inquietudine del domani la passò girovagando qua e là.

Era poveramente vestito, e gli rodeva l'animo il pensiero di dover presentarsi agli edili che per fama sapeva sordidi ed avari. - La paura che all'offerta d'una delle sue commedie, potesse sentirsi ridere sulla faccia e di vedersi cacciato come un miserabile accattone, gli faceva battere il cuore.

. . . .

Davanti ad una casa vidde radunate alcune donne che discorrevano facendo un chiasso allegro e disordinato.

Erano belle, avvolte in ricche vesti e capitanate da una specie di megera dall'occhio torvo che ne componeva le chiome, ne stringeva le cinture, e pareva che si disponesse a condurle in mostra come mercanzia da smerciare...

«Suvvia!.... diceva la megera allargando la bocca per schiudere le labbra al più ignobile sorriso che abbia mai deformata una faccia umana: – È giorno di festa oggi, e purchè sappiate mostrare un po' di contegno, troverete un bravo tribuno o qualche vincitore di Zama e d'Annibale a cui non spiacerà gettarvi un'occhiatina e farvi un cenno...

«Lo credo bene Giugurta!... per gli Dei!... esclamò una vispa giovinetta dall'occhio nero, ardito e provocante; e se non dovesse essere così, direi che i vincitori d'Annibale sono stupidi come quei mori incatenati che vidi trascinare dietro al cocchio di Scipione!...

«Dice bene Nidia... esclamarono le altre.

«Se non guardan noi, chi devono guardare? ribattè la prima che aveva parlato. – Senti, Giugurta, come sono profumati i miei capelli!...

«Andiamo dunque!...

«Andiamo! esclamaron tutte.

E folleggiando come allegro sciame di passeri che volano di ramo in ramo, imboccarono la prima strada che capitò loro dinnanzi.

Il giovane poeta che teneva loro dietro collo sguardo, ne sentì il gajo chiaccherìo per alcuni istanti, poi più nulla.

Egli passeggiò ancora sulla piazza, tutto assorto ne' suoi pensieri.

Dalla porta dinnanzi a cui parlavano la megera e le fanciulle, venne fuori un uomo.

Egli si fermò e guardò lungo la via.

Aveva curvo il corpo ed un po' obeso. – Era ravvolto in una lunga veste color cenere; aveva l'occhio piccolo, semichiuso, la fronte piatta, i capelli fulvi e duri a somiglianza d'un istrice, le labbra grosse.

«Quei maledetti edili!... Oh mi caccieranno certo!... disse il giovane Plauto guardando a destra della strada, con voce alta e come se parlasse tra sè.

A quelle parole l'uomo che era uscito dalla porta e che stava per prendere la via per cui eransi dirette le donne, alzò il capo e lo squadrò attentamente.

«Che sia un istrione? pensò egli... Indi arditamente volgendosi a lui: – Cosa vuoi dagli edili? gli chiese.

Accio sorpreso così nel pieno corso delle sue riflessioni, si volse.

«T'intesi parlare di edili!... se non mi fa difetto l'orecchio, riprese l'altro. Ti veggo mal in arnese e dal viso che hai macilento e dagli occhi gravi, arguisco che per la scorsa notte avesti per tetto la volta stellata da dove ti avrà sorriso la bionda Cerere, l'Iddia amica dei gentili estri ma che non sa procurare però un buon letto a chi ha sonno, ond'è che pensai tra me, ecco un poeta!... Ti va il mio ragionamento?...

Il giovane tornò a squadrare con occhio curioso il suo strano interlocutore. – Non aveva una fisonomia fatta per accattivarsi troppa simpatia, ma v'era però nel suo accento un non so che di franco, ed in armonia colla brusca esposizione dei pensieri che passavangli per la mente, che non si trovò malcontento del suo esame.

Fatalista come quasi tutti i poeti, e massime i poeti d'allora, nelle cui idee la greca scuola aveva lasciato profonde le sue impressioni, egli pensò che il caso questo deus ex machina che intreccia coi destini degli uomini i più strani arzigogoli, poteva benissimo avergli messo tra i piedi quella specie di mediatore, onde aiutarlo nei suoi affari.

«Perchè non ne approffitterò? pensò egli.

«Potrebbe anche essere.

«D'altronde cosa ci rimetto?...

Questo egli lo pensava – e l'altro esaminatolo ed indovinate forse le sue mentali riflessioni. – È matto borbottò fra sè, ruminando nell'animo chi sa quanti progetti; dunque deve essere un poeta!....

«Lo sono infatti, gli rispose il giovane e cerco gli edili per vender loro una commedia!...

«Scritta da te?...

«Appunto e che io stesso reciterò coi miei attori.

«Hai degli attori?...

«Non molti ma ne ho.

«Per gli Dei!. devono essere ben affamati esclamò quegli con cui Accio aveva improvvisato quel dialogo, scoppianando in una sghignazzata.

«Non ne dubito, rispose secco il giovane.

«Sei franco e mi piaci.

«Tu mi troverai strano, riprese l'uomo, avvicinandosegli in atto confidente, è bene quindi che prima di dirti il perchè t'abbia fatto queste domande, ti esponga chi sono. – Qual mi vedi non sono amico degli uomini e ci sto alla larga come dalla peste, ma faccio affari e bisogna bene che mi assueffi a scambiare con essi ciò che essi chiamano parole e che io dico menzogne. – Tu parlavi fra te quindi non mentivi; non hai dormito, quindi la tua miseria non è una menzogna – io faccio un pò di tutto, e non guardo nei miei affari troppo pel sottile, ma questa questione sta tra me e la mia coscienza. Se tu chiedi in Roma di Momus il mercante, sentirai gridare come si grida al cane che ti vien tra i piedi, dalli! che è inferocito!... o come si urla ai mastini che si sguinzagliano nel Circo per inviperire le belve. Se vieni in casa mia ci trovi di tutto. – Perle, lane, e donne!... tutta roba che si traffica a diversi prezzi e che si tiene in serbo, colla differenza che la lana e le perle comperate una volta non costano altro, mentre le donne sono peggio delle spugne... Ebbene poeta, credi a me... se vai dagli edili per vendere una tua commedia ti ridono in faccia come feci io colla differenza che essi ti cacciano via senza nemmeno risponderti e che io ti dico, vendila a me!...

«A tutta questa sfuriata buttata là con burbera franchezza, il giovane spalancava tanto d'occhi in volto a colui che gli cascava dalle nuvole quando meno che lo aspettava. Egli era brutto, anzi molto brutto, ma poteva essere pel momento l'angelo alato della speranza che veniva a cacciargli dalla fronte i foschi pensieri ed a farlo sorridere. – Diffatti colla fede che il giovane aveva nel suo genio, cosa gli mancava?...

«Una sola!...

Il campo su cui lanciarsi. – Egli era come il guerriero che in un giorno di battaglia anela il focoso destriero che sappia portarlo ove più furente ferva la pugna, e dove con maggior forza tempestano i colpi.

«Ed è la verità quella che tu mi esponi? chiese egli.

«Per gli Dei! rispose il mercante, t'avrei io fatta tutta questa sfuriata?...

«Dunque?..,

«Patto concluso.

«Io ti dò tetto e pane!...

«Io l'opera mia!...

. . . .

Accio Plauto corse felice a portare la lieta novella ai suoi comici, che lo accolsero sorpresi essi pure dell'innaspettata fortuna e traendo da ciò gli auguri i più lieti pel giovane poeta a cui profetizzarono la fama di Menandro!... Baglione rientrato in casa aspettò l'arrivo delle sue donne a cui narrò la strana speculazione da lui intrapresa. – Egli era sorridente non pel pensiero d'aver fatta una buona azione, che tale idea non entrava affatto nei suoi calcoli, ma perchè era certo d'aver fatto un buon affare. –

«I romani incominciavano ad interessarsi alle pubbliche rappresentazioni che si davano sulle piazze in baracconi di legno che sfasciavansi subito dopo; ma vi si rappresentavano ibride farsaccie dette Attelane da Attalo che ne era l'autore. In ogni modo si rideva, e la manìa del riso era succeduta alla sete dei sanguinosi spettacoli dei Circhi. – Di tutte le fanciulle che costituivano la merce del mercante, quella che fu più lieta di tal nuova fu Nidia, una vispa creatura, greca per l'indole, molle, voluttuosa, spensierata. Romana per l'ardito arco delle sue ciglia!... pel lampo del suo sguardo sotto il quale come sotto il bagliore di una affilata lama lo stesso vecchio usuraio provava dei fremiti che si faceva un dovere di reprimere per non ingelosirne la bestiale Giugurta. Il motivo principale di questa concessione era dovuto alle lunghe braccia della vecchia che erano nerborute e forti quanto erano ardenti gli occhi della schiava.

Avere un poeta che direbbe dei versi, che narrerebbe nell'ora delle liete cene, l'argomento delle sue commedie, che la guarderebbe sorridente, perchè Nidia pensava già che doveva sorridergli, ciò era per la fanciulla un pensiero delizioso. Per la vecchia Giugurta invece, quel poeta disperato che veniva ad installarsi in casa sua, non era che un fastidio di più, ma sugli affari del marito essa non soleva discutere. Per la sera stessa si allestì dunque una sontuosa cena in cui furono invocati tutti gli Dei Olimpici e dove Plauto trovò che Nidia era incantevole, che la casa dell'usuraio era preferibile al cielo stellato!... e dove i suoi comici sognando allori bevettero discretamente del buon Falerno nelle anfore di creta che furono colmate e ricolmate più di una volta.

CAPITOLO V.

Alla Taverna.

Non è dato precisare quale fosse il primo lavoro che Plauto diede in Roma – Si propende a credere che fosse l'Adularia, ma in ogni modo il fatto si è che vi ottenne buon successo e che l'autore fece in poco tempo discreti guadagni che gli permisero di abbandonarsi alla gaia spensieratezza del suo carattere.

Plauto che toglieva al teatro greco i modelli delle sue commedie, di assolutamente romano sapeva darvi il sapore ed il colorito, sebbene adoperasse nomi greci e ne portasse l'azione in città greche.

Se dipingeva templi greci, essi erano nullameno quelli di Traiano quelli di Saturno o di Marte vendicatore – talchè sopra le piazze di Atene i suoi personaggi descrivevano il Campidoglio, ed il monte Palatino, gli archi di Tito, ed il campo Marzio!...

Dai diversi tipi della plebe o del patriziato romano toglieva pure i caratteri dei suoi protagonisti, onde ci torna a proposito accennare qui ad una di quelle scene che diedero all'autore dell'Anfitrione il soggetto di un'altra delle sue migliori commedie... scena riprodotta nel suo Miles Gloriosus e che toccò anche il Cossa nel suo lavoro.

Fu recandosi ad una delle taverne ove dopo le rappresentazioni andavano i suoi comici a cioncare allegramente, che trovò riuniti alcuni soldati ritornati in coda agli eserciti di Scipione dalla vinta battaglia di Zama.

Su questa battaglia nella quale il grande Scipione sconfisse Annibale ed a cui Roma stava per ricambiare coll'esilio la gloria avutane in retaggio, uno di quei soldati tirava a giù a dritta ed a rovescio narrando cose di questo e dell'altro mondo.

Affè!... esclamò Accio, volgendosi a' suoi attori, mi mancava una nuova commedia, salute agli Dei che qui mi guidarono.

L'avete inteso quel soldato che narra di colpi di lancia che hanno atterrato una legione?... Di cavalli che mandano vampe di fuoco alle nari!... Di rinoceronti pacifici come agnelli!... e di pugni che pesano più di un colpo di mazza?... qual tipo più comico per farne un Miles Gloriosus? – Per lui scommetto che il grande Scipione a cui Ennio tributa i suoi canti, è meno d'uno dei suoi compagni che si bevettero come un sorso di Falerno tutte le sue smargiassate, forse perchè di Falerno ne avevano bevuto più del bisogno.

«Benissimo!... sclamarono i comici ridendo... salute ad Accio!...

«Dunque nel prologo di domani annuncieremo il Miles Gloriosus. Che bella burla deve essere per l'amico se capita in teatro!...

Fu questo il sistema adottato da Plauto, sistema di riproduzione dal vero, che fu sempre la sorgente dei drammatici o comici lavori d'ogni tempo da Menandro a Eschilo, da Plauto a Goldoni, da Moliere a Shakspeare!... – Così su una di quelle patrizie inbellettate sino negli occhi,... e che di donna hanno soltanto le vesti, buone a divorar patrimoni non ad educare figliuoli, scrisse egli la sua Frivolaria. Il giovane patrizio dedito ad ogni vizio e che senza doveri di patria e senza affetti scorre la vita fra le braccia di oscene baccanti, gl'inspirò di scrivere il suo Discolus, lavoro che molti non vogliono riconoscere per suo, ma che si rivela tale per la festività di quel carattere comico che costituiva uno dei pregi principali delle sue commedie.

Nel Mercator egli non fece che sceneggiare tutto ciò che aveva veduto in casa dell'usuraio Momus da cui fu ospitato, e ne trasse uno dei più graziosi intrecci.

CAPITOLO VI.

Le Rappresentazioni.

Non sarà credo discaro al lettore di questo studio storico che riguarda una personalità artistica ed un'epoca così interessante se, cercheremo di dare un idea del modo con cui eseguivansi quelle rappresentazioni che ora sono così diverse per forma e per metodi.

Una musica rumorosa apriva lo spettacolo, non erano inventati ancora gli strumenti di corda e nelle grandi solennità, o perchè qualche grande personaggio assistesse alla rappresentazione, o perchè si volesse dare rilievo alla rappresentazione stessa, alla solita assordante orchestra sostituivansi delle suonatrici dette Psaltriæ e sambucistrie le quali suonavano alla maniera asiatica, come usavasi colà per le cerimonie sacre e per i loro banchetti.

I romani che non inventarono i loro strumenti, ma li ricevettero dagli Etruschi e dai Siculi, ebbero bisogno di molto tempo prima di trovare possibile l'accompagnamento del canto con istrumenti di corda.

Augusto considerò lo spettacolo teatrale come mezzo per divertire e tener obbediente il popolo, quindi provvide acciochè tutte le commedie e tutti i concerti fossero approvati prima della rappresentazione dagli edili di ciò incaricati specialmente.

Fu ai suoi tempi che ebbero principio i segni di disapprovazione o di approvazione col battimano e col fischio, egli medesimo compensò con tale atto gli attori che retribuì poi di benefici, o li disapprovò facendoli poi frustare per punizione della trascuratezza che posero al disimpegno delle loro parti. Caligola spese somme immense pel teatro e siccome aveva bella voce, si fece un giorno dorare la barba per rappresentare il biondo Apollo.

Tanto, rispetto alla estensione della produzione, quanto rispetto alla diretta influenza dell'azione sul pubblico, prima fu il dramma che prevalse sullo sviluppo poetico. Esisteva in Roma anticamente un teatro permanente con entrata a prezzo fisso, e sì in Grecia come a Roma lo spettacolo teatrale era una parte integrante dei trattenimenti popolari che ricorrevano ogni anno o che si davano in casi straordinari.

Fra le misure colle quali il governo faceva opposizione o si immaginava di opporsi al soverchiante allargarsi delle feste popolari di cui temeva le conseguenze, eravi il rifiuto di permettere che si costruisse un teatro in muratura .

Invece del teatro stabile si erigeva all'epoca di Plauto un palco di assi con una scena per gli attori. – Il pubblico stava in piedi, poichè il rigido Catone diceva che non era decoroso per la dignità dei Romani il sedersi. La scena era chiamata (proscenium pulsistum) aveva un fondo decorato, ed un semicircolo innanzi al quale si tracciava una platea per gli spettatori la quale non aveva però nè gradini nè sedili, e si riduceva ad un piano inclinato.

Se qualche spettatore voleva sedere era costretto a portarsi dietro la sua sedia, chi voleva poi, si accoccolava o sdrajavasi per terra .

Pare che le donne sino dai primi tempi fossero tenute separate dagli uomini e che ad esse fossero assegnati i più alti e peggiori posti. Da principio e fino al 560 i posti non erano distinti per legge.

Poi furono riserbati i più bassi ai senatori.

Il pubblico era tutt'altro che scelto, ma non è men vero però che anche le classi le più elevate non astenevansi dal recarsi allo spettacolo nè di immischiarsi colla folla.

I senatori si credevano perfino obbligati di mostrarvisi pel loro stesso decoro.

In una festa politica erano però esclusi gli schiavi ed anche i forestieri.

Si accordava ingresso gratuito ai cittadini, alla moglie ed ai figli .

Gli spettatori non potevano essere per conseguenza diversi molto da quelli che oggi giorno si veggono ai pubblici spettacoli pirotecnici ed alle rappresentazioni gratuite.

Le cose procedevano quindi con poco o nessun ordine; i fanciulli gridavano, le donne chiaccheravano e strillavano, e talvolta qualche sgualdrinella cercava di introdursi sulla scena.

I vigili in siffatti giorni non facevano festa ed avevano frequenti occasioni di pignorare mantelli e di menar la mazza.

Coll'introduzione del dramma greco crebbero le difficoltà d'avere artisti e pare che i buoni scarseggiassero. – Si dovette una volta ricorrere a dei dilettanti per rappresentare un dramma di Nevio, ma con tutto ciò l'artista non crebbe gran fatto di pregio ed il poeta, e come era più comunemente chiamato, lo scrittore, come l'attore, appartennero e prima e dopo alla classe poco stimata dei mercenarj.

Il direttore della compagnia (Dominus Gregis) d'ordinario capocomico, era per lo più un liberto, ed i membri componenti la sua truppa erano per lo più suoi schiavi.

La mercede era assai tenue e l'onorario d'un poeta teatrale arrivava appena ad 8000 setterzj (Lire 2145), ed era creduto anche troppo largo. Eragli anzi come restrizione pagato soltanto se lo spettacolo piaceva.

Sembra che a Roma si usasse soltanto di applaudire o di fischiare come si pratica da noi, e che non si rappresentasse che un dramma al giorno .

In siffatte circostanze in cui l'arte era esercitata a prezzo di giornata ed in cui l'artista invece di raccogliere onori raccoglieva vergogna, il teatro nazionale romano non potea svilupparsi co' suoi proprj e originali elementi e neppure con elementi artistici in generale.

La generosa gara dei nobili ateniesi dava intanto vita al dramma attico.

Al romano non restava che d'esserne una copia, e desta meraviglia che in questa, qualche autore abbia potuto e saputo sfoggiarvi dello spirito e darvi una certa quale propria vitalità.

Al dramma successe presto la commedia e questa lo soverchiò completamente.

Quando il prologo invece della sperata commedia annunciava per caso una tragedia, gli spettatori rannuvolavano la fronte; onde avvenne che per questa tendenza dello spirito pubblico, fiorirono alcuni poeti comici come Plauto e Cecilio.

Com'è naturale essi posero tosto le mani sulle produzioni che avevano maggior voga in Grecia e così si trovarono confinati esclusivamente nel ciclo della commedia Attica mezzana e particolarmente in quello dei suoi più rinomati poeti Filemone da Cilì, e Menandro d'Atene.

CAPITOLO VII.

Forme delle composizioni teatrali.

È indubitabile che questo genere di commedia esercitò una grande influenza sullo sviluppo della letteratura romana, ma vi occorrevano totali modificazioni adatte all'indole romana a cui si faceva servire la forma greca.

Le produzioni della scuola comica di Menandro e di Filemone per quanto siano rispettabili come lavoro d'arte, e d'un arte che era sul suo principio, sono d'una tediosa monotonia. L'argomento è quasi sempre un giovane che a spese di suo padre o talora d'un lenone, vuole conquistarsi il possesso d'una bella fanciulla posta al mercato. L'intrigo che finisce colla vittoria dell'innamorato è condotto per solito mercè una trufferia pecuniaria; e lo scaltro servitore il quale procaccia l'occorrente somma per la soddisfazione del capriccio dell'amante è il perno su cui si aggira l'azione.

Non vi abbondano che le consuete considerazioni sulle gioie e sulle pene dell'amore; le separazioni con grande spargimento di lagrime, e non vi manca il solito spediente dell'amante che per ottenere uno sguardo di compassione dalla sua bella, minaccia di uccidersi.

L'amore o piuttosto gli spasimi dell'amore, erano come dicono i vecchi giudici in arte, il vero alito vitale della poesia di Menandro.

Nelle sue commedie il matrimonio ne è l'inevitabile conclusione, ed a quest'uopo per maggiore edificazione degli spettatori, si mette in luce la virtù dell'eroina se non affatto intemerata, almeno abbastanza sana e salva.

Si scopre per solito che essa è la figlia smarrita di un uomo dovizioso e quindi un buon partito sotto ogni aspetto.

Trovansi accanto a queste commedie dove tutto è amore, qualche altra produzione di genere patetico, ed è a quest'ultimo genere più che agli altri che appartengono le commedie di Plauto fra cui: La Gemena (Rudens) che tratta del naufragio e del diritto d'asilo, ed il «Trinummo ed i Captivi» che non toccano intrighi amorosi, ma dipingono la somma devozione dell'amico per l'amico, o dello schiavo pel padrone.

V'è però in esse un grave difetto ed è che le situazioni vi si ripetono all'infinito come si ripete uno stampo sopra una tappezzeria. Da per tutto vi sono ascoltatori invisibili. – Si picchia ogni momento alle porte di casa. – Vi sono le maschere fisse di cui non si poteva fare a meno ed avevano un numero determinato.

Sono, per esempio, otto vecchioni e sette domestici fra cui il poeta era libero di fare la sua scelta.

In simili commedie bisognava sopprimere l'elemento lirico, il coro della commedia antica e limitarsi al dialogo e tutt'al più permettersi qualche recitativo.

In ogni modo mancava il brio, l'elemento politico, la vera passione, ed ogni poetica elevatezza.

Il merito di questo genere di commedia consisteva totalmente nell'occupare l'attenzione dello spettatore e si staccava un po' dalla vecchia forma perchè era trattata con maggiori dettagli e con maggior complicazione d'interesse nella favola.

C'erano dei particolari trattati con diligenza, – dell'eleganza dei dialoghi, – dell'arguzia qua e là, e ciò costituiva il trionfo del poeta ed il diletto del pubblico.

Una gran parte dell'elemento comico che dava loro la vita, erano strane complicazioni con cui si accomodava il passaggio alla burla la più stravagante.

La Casina per esempio termina con vero stile Falstasffiano colla partenza dei due sposi, e col soldato acconciato da donna. In mancanza d'una vera conversazione vi sono scherzi, frottole ed enigmi.

La gran manìa del pubblico pareva quella di indovinar rebus e spiegar sciarade.

Nello Stico di Plauto sono invece trattati con verità molti vivaci caratteri di servitori, diversi amoruzzi a cui si prestano inconsci i padri, ed è nel suo genere, avuto riguardo al tempo in cui fu scritto, un buon genere di commedia.

Vi figurano bene le eleganti cortigiane le quali si presentano profumate ed adorne con vestimenta a lungo strascico di varj colori, trapuntati in oro e che si azzimano in mille foggie sulla scena.

Alla loro coda trovansi delle mezzane talvolta dell'infima classe, come la Scafa nella Mastellaria, tipo che Goethe riprodusse poi nella sua Barbara. Non vi mancano fratelli e compagnoni pronti a dar una mano all'innamorato. - Nella forma infine della commedia greca trovansi stupendi tipi che servirono poi a tutte le commedie ed a tutte le creazioni teatrali di tutti i tempi,... imitate da Plauto sino a noi. Tipi di vecchi, padri severi, avari o teneri, o deboli - mezzani compiacenti - vecchiacci innamorati - accomodevoli zitelloni - vecchiarde golose come serve, che tengon sempre per la padrona contro il padrone.

Le parti dei giovani invece ci sono meno brillantemente trattate. Ma evvi però l'immancabile buffone (Parassitus) il quale in ricambio del permesso di sedere alla mensa dei ricchi, ha l'incarico di divertire gli ospiti narrando baie, motteggiando e lasciandosi motteggiare. È questo uno dei tipi meglio riusciti della commedia greca poichè in Atene quello del parassita era un vero mestiere se non è certo per una finzione poetica che vediamo questo giullare riprodursi sotto mille aspetti nelle diverse scuole teatrali.

Abbiamo cuochi che sanno acquistarsi bella fama facendo nuove salse. - Dei lenoni bugiardi dalla faccia bronzina che di gran cuore tengon mano ad ogni nefandità, tipi di cui il Ballio ce ne dà un modello nel Pseudolo. Nei militari spacca montagne alla foggia del Miles Gloriosus di Plauto, si personifica benissimo il governo di quei capitani di ventura... - Nella poesia Ellenica v'è infine qualche cosa di plastico, di scolpito che le altre scuole non poterono a meno di immitare.

L'unico avanzo della tragedia greca di quel tempo, parodiata, l'abbiamo nell'Anfitrione di Plauto.

In questo lavoro più che in altri spira un'aria più pura e più poetica.

Gli Dei faventi vi sono trattati con gentile ironia.

Le nobili figure del mondo eroico, gli schiavi burlescamente vigliacchi, presentano tra loro le più meravigliose antitesi, e dopo il comico svolgimento dell'azione, la nascita del figlio degli Dei fra i lampi ed i tuoni, offre un quasi grandioso effetto finale.

Fu con codesti elementi della scuola greca che Plauto formò il suo teatro. - Gli era esclusa l'originalità non solo per mancanza di libertà estetica, ma ancora perchè doveva sotto gli occhi della vigile Censura velare nomi, fatti e date!... e far credere greco apparentemente quello che realmente era romano.

Fra il gran numero delle commedie latine del sesto secolo che pervennero sino a noi, non ve n'ha una sola che non si presenti modellata sopra una commedia greca. Si esigeva dagli edili, affinchè il titolo fosse completo, l'indicazione della commedia greca ed il nome dell'autore e se come soleva avvenire ne era contestata la novità, trattavasi solo di sapere se la medesima fosse già stata prima d'allora tradotta. La scena della commedia è sempre in paese straniero; ciò era anche imposto da necessità artistiche ed il nome speciale di questo genere di commedie (Fabula Palliata) deriva appunto da ciò che la scena è fuori di Roma.

D'ordinario essa è un Atene ed i personaggi portanti il Pallio, sono greci, od almeno, non sono romani.

Persino nelle minuzie e più specialmente in quei particolari di cui anche il rozzo popolo romano sentiva chiaramente il contrasto, erano severamente osservati i costumi stranieri.

Non si pronuncia mai il nome di Roma, nè di romano!... e si dice per straniero – barbaro...

Dovrebbe aver un idea ben singolare dell'ingegno sì grande e sì potente di un Nevio e di un Plauto, chi s'immaginasse che tutti questi capricci e ghiribizzi del poeta non dipendessero da altro che dalla impossibilità politica di completare con esattezza l'estiticità della forma.

Lo stravolgere, nella Roma dei tempi di Annibale, le relazioni sociali sino al punto di assimilarle a quelle rappresentate nella nuova commedia attica, sarebbe parsa cosa intollerabile e da punirsi come un attentato contro l'ordine e la moralità sociale.

Era ancora proibito agli autori di nominare alcuna persona vivente nè per lode nè per biasimo e così era vietata ogni compromettente allusione alle condizioni dei tempi.

In tutto il repertorio delle commedie di Plauto e dell'epoca dopo Plauto, per quanto ne dice Mattel non vi fu materia per nessuna causa d'ingiuria, e trovasi appena nelle sue commedie qualche frizzo che tocca gl'infelici capuani unito al motteggio sulla superbia e sul cattivo latino dei Prepestini .

Nelle allusioni agli avvenimenti ed alle condizioni dell'epoca che si riscontrano nelle commedie Plautine, non ci sono che auguri per la pace e per la guerra prospera. Invettive contro gli accapparratori di grano e in generale contro gli usurai, contro i dissipatori, contro i brogli dei candidati, contro gli esattori delle multe, e contro i pegnoranti appaltatori dei dazi.

Una sola volta nel Circulio, si trova una lunga ed un po' pungente tirata su quanto avviene nel Foro romano. (V. p. 374) ma il poeta s'interrompe anche in questa scappata patriottica che però non usciva di riga e dice:

«Ma non sono io pazzo di pensare alla cosa pubblica?...

«Ove vi sono magistrati a cui tocca provvedere?...

Considerando la cosa nell'insieme non si può immaginare una cosa più privata e più domestica della commedia romana del sesto secolo .

Il solo Gneo Nevio, il più antico poeta comico romano, fa una notevole eccezione. Benchè egli non scrivesse precisamente commedie romane originali, i pochi brani di quelle da esso composte sono piene di allusioni a fatti ed a persone.

Fra le altre libertà che egli si prese, non solo mise in ridicolo un certo pittore Teodato, chiamandolo per nome, ma diresse persino al vincitore di Zama i seguenti versi.

«È quello ancora che spesso colla mano compì gloriosamente grandi cose.

«Le cui gesta tuttora vivono, presso agenti ed è solo riputato!

«Fu dal proprio padre staccato dalla sua amante e ricondotto a casa col solo Pallio.

Come pure nelle parole

«Oggi festa della libertà parliamo libere parole!...

. . . .

«Come faceste a mandare sì presto in rovina un sì possente stato?...

Dice egli in uno dei suoi prologhi, volgendo la parola alla polizia con chiare allusioni.

Ma la polizia romana non era troppo disposta a sopportare sulla scena dei rabuffi.

Nevio fu messo in prigione in grazia di questi e d'altri simili motteggi e non ne uscì fintanto che un'altra commedia non ne ebbe fatta piena ammenda.

Queste persecuzioni lo decisero ad abbandonare il proprio paese ma i suoi predecessori impararono da lui a procedere cauti.

Fu in causa di ciò che in un'epoca dove ferveva il più febbrile ecitamento nazionale, nacque un teatro senza ombra di colore politico.

CAPITOLO VIII.

Personaggi e Situazioni

Il cuoco ed il buffone erano i personaggi preferiti da Plauto come elemento comico delle sue commedie e li dipingeva con sorprendente vivacità.

Il buffone era quasi sempre in cucina a sindacare i fatti del cuoco, e sul genere delle vivande da questi cucinate ed all'uso che dovevano servire, il poeta faceva nascere degli scoppiettj di frizzi, d'arguzie e di giuochi di parole.

Dalla commedia greca si eliminavano intere parti che si sostituivano con caratteri romani ma con elementi d'una semplicità che giudicandosi ora dalle nuove forme della commedia moderna che ha bisogno di tanto movimento e di tanti affetti, sembra impossibile che quei lavori potessero ottenere tanto successo. L'azione del tanto celebrato Stico (rappresentato nell'anno 554) consiste in due sorelle che il padre vorrebbe decidere a separarsi dai loro mariti assenti e che fanno le Penelopi fino a che i mariti ritornano alle loro case con richezze raccolte col commercio e con una bella ragazza che recano in dono al padre. Nella commedia la Casina che fu accolta dal pubblico con grande favore, non si vede comparire la sposa di cui la commedia piglia il titolo, e sulla quale si aggira l'azione.

La conclusione del fatto viene raccontato semplicemente in un epilogo come «avente luogo più tardi internamente.»

Accadeva spesso che si interrompesse bruscamente l'azione e la si compendia in un racconto. Era permessa infine all'autore quella assoluta libertà di forma che qualificava però un arte non giunta affatto al suo compimento.

Il buon gusto andavasi formando però a poco a poco, e questi difetti riscontransi nelle prime commedie di Plauto. In quelle che scrisse poi, egli impiegò maggior cura nella composizione, nella distribuzione delle parti, e nelle forme svelte dell'argomento, ed i Cantici, il Pseudolo e le Bacchidi sono trattati con mano maestra.

Prevalgono però nella commedia romana che traduce al pubblico greci soggetti, dei rozzi incidenti vestiti di forme ancora più rozze. Nella grande abbondanza di bastonate e di frustate che si amministrano e di cui si minacciano gli schiavi, si riconosce che la frusta in Roma era all'ordine del giorno, e per Catone era una delle sue predilezioni.

L'elegante dialogo attico era quasi sempre deformato in modo orribile nelle traduzioni romane.

Per darne un esempio, nella commedia Colonna di Menandro, un marito confida all'amico le sue miserie.

«A – Tu sai che ho sposato la ricca ereditiera Zamia?...

«B – Sì certo.

«A – Essa, padrona di questa casa e di questi campi e di tutto ciò che vi sta intorno, ci ritiene fra tutte le molestie. Essa è molesta a tutti e non a me solo ma anche al figlio ed alla figlia! –

«B – Pur troppo lo so benissimo che la cosa è così!...

Cecilio nella sua traduzione dice invece.

«B – tua moglie è dunque rizzosa non è vero?...

A – Non me ne parlare.

B – Perchè?...

A – Non ne voglio sapere; se vengo a casa e mi pongo a sedere, essa non mi dà che un insipido bacio.

B – Ebbene col bacio essa coglie nel segno, e vuole che tu abbia a vomitare ciò che bevesti fuori di casa?...

. . . .

CAPITOLO IX.

Gli Spettatori.

Le condizioni in cui gli spettacoli greci si portarono a Roma, offrono allo studioso ricercatore di quelle memorie storiche, un prezioso mezzo di paragone per misurare il diverso grado di coltura delle due nazioni, e ne risulta quindi maggiormente lodevole lo sforzo fatto da Plauto e da Nevio, che fu vero poeta per elevatezza d'animo e di concetti, per dare al teatro una forma possibilmente artistica.

La classe del popolaccio era in Roma una classe trascurata, eterogenea, e priva di ogni carattere dilicato.

Poco curandosi della fina condotta dei caratteri, la commedia si poteva svolgere senza ombra di verità; poteva camminare d'assurdo in assurdo, ed i suoi personaggi e le sue situazioni potevano essere esposte senza alcuna legge estetica, e colla norma del solo capriccio degli autori, mescolate e confuse come si mescola un mazzo di carte.

Se nel testo greco, il lavoro poteva essere un quadro della vita, nell'immitazione diventava una caricatura.

Si annunciava un Agone greco a suon di flauto con cori di danzatori, con tragedie e con atleti, e sul cominciare dello spettacolo se da una piazza uno squillo di tromba annunziava che quattro funamboli stavano per far delle capriole, il pubblico era capace di vuotare il teatro per accorrervi entusiasta.

Uno dei maggiori pregi del teatro di Plauto fu quello d'aver fatto rinascere nell'animo del popolo romano per mezzo del diletto che i suoi lavori gli procuravano, un po' di vero gusto per la commedia sobria, e morrigerata che erasi bandita per dar posto ad una specie di prostituzione scenica.

L'Ellenismo poteva dirsi la scuola spudorata del vizio – era il senso carnale che usurpava il posto dell'amore!... – era immorale non meno nell'impudenza che nel sentimentalismo – era la glorificazione della vita della crapula.

Ce lo prova l'epilogo che Plauto fa precedere ai Captivi «spettatori» dice egli – È questa una commedia fatta per gli onesti costumi.

«Qui non vi sono traffichi, nè amori lascivi!... ne putti suppositi, ne giunterie, ne bagasce fatte franche di soppiatto al padre dall'amore di un giovane. Poche commedie come questa sanno inventare i poeti, per la quale i buoni si fanno migliori. Or voi se vi piace, e se anche noi non vi siamo spiaciuti, datene segno, e vogliatelo premio della pudicizia; applauditeci.»

CAPITOLO X.

Amore e Sfortuna.

La rappresentazione del Miles Gloriosus fu un grande successo per Plauto, ad onta che Giugurta la moglie di Momus protestasse per vedervi raffigurata una sua conoscenza, vale a dire quel tal guerriero che il giovane poeta aveva incontrato nella taverna dove erasi recato per passare un'ora coi suoi comici e compagni.

Fu uno dei bei giorni per Plauto innebbriato dai plausi e dai viva della folla tumultuante. Nidia che assisteva allo spettacolo era rapita dalla spigliata fantasia del poeta il di cui frizzo pieno di sale usciva facile e continuo dalle labbra degli attori. Scambiavansi intanto ardenti occhiate e si comprendevano. Quando giunta la sera si festeggiò il lieto successo, mollemente appoggiata alla sua spalla colla bella testa, Nidia lo divorava collo sguardo.

V'era tanta voluttà in quel suo grande occhio nero di cui il giovane sentiva il fascino irresistibile, che più d'un bacio espresse alla fanciulla come nel suo cuore giovane ed ardente, vivesse una di quelle fiamme che non era così facile estinguere colla semplice autorità di Momus. Egli dichiarava però, che Nidia era sua merce e che ci teneva a conservarla per le possibili occasioni.

Momus d'altronde era così vincolato a Plauto per i buoni affari che questi aveva a lui procacciati colle sue opere, che sentivasi obbligato a lasciar correre sguardi e baci, senza darsi pensiero delle logiche conseguenze che ne venivano in seguito.

Con Momus egli erasi però fatalmente impegnato in cose a cui il teatro era affatto estraneo, e colla lusinga di concorrere al totale miglioramento della sua sorte, egli avevalo trascinato in arrischiate speculazioni.

A lui desideroso di allegri convegni e di quella vita a cui l'agiatezza promette le indipendenze della mente e del cuore, l'usurajo pose innanzi l'incantevole sogno della richezza ed avevalo infine associato alle sue speculazioni.

. . . .

Un giorno mentre egli era intento a svolgere col pensiero il modo per sciogliere Nidia dalle unghie del feroce usuraio, questi gli capitò alle spalle torvo in viso e più brutto del solito.

La sua fronte da piatta che era, mostravasi tutta grinze.

L'occhio piccolo ed infossato, mandava dei lampi sinistri... Gli si fermò dietro le spalle e stette immobile a guardarlo.

Accio si volse.

«Che hai Momus? gli chiese.

«Tristi nuove da darti, rispose egli asciutto.

«Gli edili ti ricusarono il prezzo d'una mia commedia?...

«Che edili!... ho altro pel capo che gli edili.

«Ebbene?... per gli Dei tutelari!... mi fai una certa faccia!...

«C'è, riprese l'usuraio, che siamo rovinati.

«Come?...

«Come! come!...

«Ma sì... parli o no?...

«Vuoi proprio che la dica?...

«È quello che aspetto.

«Ebbene, disse Momus... tu sognasti la ricchezza...

«Per Giove!... è una cosa che mi alletta tanto!..

«Bisogna rinunciarvi.»

Accio fissò in volto il mercante. La sua fisonomia non espresse che la più grave serietà.

«Cos'è successo? domandò egli.

«È successo, riprese Momus, che...

«Ebbene?...

«Che la nave dalla quale aspettavamo quel carico di lane e di perle che abbiamo commesse è naufragata.

«Naufragata!... esclamò il giovine. Un sinistro pensiero attraversò la sua mente; una vampa ne arse la fronte.

Egli afferrò l'usuraio per le braccia e convulsamente fissollo in volto.

«Non è questo forse un infame tranello inventato dalla tua ingordigia?.. gli chiese.

La fisonomia del mercante restò così impassibile sotto quello sguardo, che egli curvò il capo.

«Dunque è vero? riprese pallido in volto e scoraggiato.

«Com'è vero che io vivo.

«Chiedine se vuoi saperlo ai registri pubblici ove abbiamo iscritti i nostri affari.

Non c'era da ribattere.

La notizia era vera.

Che fare?...

Plauto si risovenne con disperazione dei tanti impegni ch'egli aveva contratti e delle spese superiori alle sue forze ed al suo stato che aveva fatte, nella speranza dei guadagni che Momus gli aveva fatti lampeggiare d'innanzi allo sguardo.

Di tanti sogni!... di tanti desiderii, più nulla!...

Tutto ritornava nel vuoto!... tutto si inabissava e gli restava soltanto una delusione!...

La fatalità lo accerchiava colle sue ferree anella – che fare?...

La sola cosa di reale che gli restava, erano i suoi debiti, e le leggi romane parlavano chiaramente su tale proposito.

. . . .

Dopo pochi giorni, siccome ogni sventura non vien sola, come dice un vecchio proverbio; una delle sue commedie fece un fiasco solenne.

Momus scoppiò in una sfuriata terribile in cui lamentava d'averlo accolto, e d'averlo protetto mentre doveva lasciarlo, morir di fame. Plauto ribellandosi coll'animo esulcerato a quella intempestiva smanceria fatta da un uomo che aveva guadagnato colle opere sue ben più di quello che lamentava perduto, e che avevalo trascinato in speculazioni, che egli non avrebbe azzardate, acerbamente rampognò il mercante. Momus come è naturale da parte sua trovò stranissime e fuori di posto le sue tirate.

La conclusione fu che egli restava coi suoi debiti e che non sapeva come pagarli.

CAPITOLO XI.

Un articolo delle 12 tavole.

Prescriveva questo articolo molto conosciuto, che i creditori in mancanza del denaro, potessero essere padroni della persona del debitore ed arrivava a tal punto di crudezza da decretare che «a chi non potesse pagare, si tagliassero le carni e fra i creditori si dividessero.»

Il povero autore trovasi dunque assai a mal partito, e da ogni porta, all'angolo d'ogni strada, mentre usciva da una taverna, o svegliandosi nel suo letto dopo aver fatti orribili sogni, gli pareva di vedere dovunque delle brutte faccie che gli intimavano un poco gradito ritornello su tutti i toni e senza che l'orchestra ne accompagnasse le smorfie... Pagare!... pagare!... pagare!...

Vedeva per di più le lunghe braccia della legge coi suoi artigli inesorabili pronte a ghermirlo.

La sua vita era divenuta un vero inferno!... – Usciva di notte a guisa dei gufi, ed unico conforto restavangli gli abbracci di Nidia che lasciava furtivamente la casa di Momus per andarlo a trovare nei buggigattoli che gli davano ricovero.

C'era qualche cosa di strano nell'amore di questa fanciulla che in mezzo al vizio per cui era cresciuta, conservava sola virtù della sua anima contaminata, l'affetto per il giovane poeta. Esso le diveniva sempre più caro. Vicino ad essere nulla per gli altri, istintivamente essa sentiva che egli diveniva tutto per lei!... Essa per lui, tutto!

Tra i fiori della sua corona da baccante Nidia trovava un fiore non avvizzito nelle orgie, non profanato!... quasi puro!... ed era il suo amore!...

Fra quelle rose che appena sfiorate si tornavano ad intrecciare, v'era un giglio che non si staccava mai!... che non appassiva!... del quale con ogni cura essa alimentava la freschezza.

. . . .

Una mattina fattasi bella, attagliata con grazia alla vita le sue più belle vesti, profumatisi i capelli, Nidia si guardò nello specchio, felice che la giovinezza mandasse tanti lampi del suo sguardo e comunicasse tanti palpiti al suo cuore.

Essa andò alla finestra della sua stanzetta... ed aspirò con voluttà l'aria tiepida di una di quelle mattine di primavera a cui si sente congiunta tanta poesia!...

La campagna! era un bel tappeto verde, colle sue margherite bianche che vi spiccano sopra come un ricamo intrecciato da quella sapiente creatrice d'ogni più splendida bellezza che è la natura!...

Gli alberi avevano le loro foglie ingemmate dalla rugiada. Sotto l'immensa luce dell'aurora che si disegna sull'orizzonte avvolta nel suo manto di porpora, quelle goccie d'acqua assomigliano a diamanti e riflettono mille bagliori.

Le viole sorgono al margine dei ruscelli.

Le onde sembrano d'argento!... il loro mormorìo pare un sospiro.

Da per tutto luce!... profumo!... armonia!... stormir di fronde, canti di augelli, serenità di cielo, parole arcane d'amore dette in mille lingue!...

Dalla voce di qualche fata invisibile, che aggiravasi intorno a lei, pareva a Nidia d'ascoltare i racconti favolosi dei fiori e delle piante e delle montagne, e delle riviere incantate, che Plauto frammischiava spesso alle sue commedie.

Esso gliela raccontò un giorno la bella storia d'un ruscello, l'eterno orologio del bosco!...

Essa lo vidde zampillare di pietra in pietra, passare tra radice e radice, felice di poter dissetare lo stanco cacciatore colle limpide sue acque.

Come è bello, quando il sole ne bacia le onde mentre egli si distende sotto a migliaia di fili d'erba e di fiori.

Poi sparisce e schizza fuori più innanzi fra il musco o tra le pietre, come una specie di enigma di cui nessuno sa trovare la sorgente.

. . . .

Nidia, per la quale il ruscello al cui margine potesse assidersi con Plauto, rappresentava in quel momento tutta la poesia dei suoi vaghi vaneggiamenti, pensava a quanto aveva sentito raccontare e si ricordava che una bella nuvoletta aveva lasciato cadere nell'angolo più segreto d'un bosco la goccia d'acqua che prima animò quel gaio e gentile abitatore degli ombrosi campi!...

Il vagabondo spiritello che salta fuori da per tutto, e che ti è tra i piedi quando scorri la campagna, mentre meno te lo aspetti!...

Nidia lo vedeva scorrere, scorrere col suo dolce mormorìo, fecondando le fresche erbe ed agitando i rami flessuosi che tuffavano nel suo seno la testa!....

Sul suo margine morbido e bello, essa vedeva crescere dei fiorellini color cielo!... e di balzo in balzo lo vedeva saltellare come un camoscio, poi piegarsi... e passar via timido e quieto. Ardito e forte lo vedeva poi avventarsi dagli erti gioghi della montagna, e precipitare alla valle, mentre cogli sprazzi delle sue acque il sole si diverte formando dei graziosissimi miraggi e riflettendovi iridi variopinte!... Lo vedeva aggrapparsi ai massi, alle erbe ed ai rami, quando cristallizzato dal freddo vi appende le sue belle perle che scintillano.

Soltanto quando d'inverno la natura agonizza, egli si rattrapisce... si stringe a poco a poco nel suo letto, e poi fattosi tutto gelo divien muto.

Ma ora la primavera spiegava intorno alla fanciulla la pompa di tutti i suoi splendori, ed il ruscello coi suoi fiori, colle sue cadenze armoniose, colla sua poesia infine, pareva che le dicesse:

"Vieni!.. in un così bel giorno, le mura della città sono una triste cosa!...

"Vieni!.... quì più libera è l'aria che si respira!... quì le labbra possono avvicinarsi liberamente e scambiare il bacio!...

"Qui nessuno ascolta le vostre parole, e se io le sento, le confondo coll'armonia che io spargo a me d'intorno, e le porto con me!...

... Nidia che nel melanconico abbandono della sua anima sognava fiori, aria e luce; quella poesia infine che era amore!... sentiva che la casa di Momus altro non era che un'odiosa prigione!... Accio si sarebbe in quel momento nascosto in qualche brutto antro, pauroso che un quirito in nome della legge gli togliesse la libertà della persona, vendicandosi così per non potergli togliere quello del pensiero.

. . . .

Una porta bruscamente si aperse dietro lei.

Nidia si volse.

Vidde Momus, e sul volto del mercante trovò espresso il più brutto sorriso che potesse rendere orridamente deforme il sinistro suo volto.

«Bella mia!... disse egli, se ti sei fatta leggiadra per avere un bacio di più dal tuo istrione, puoi togliere quel fiore dai tuoi capelli, e slacciare le aggraziate pieghe della tua veste!...

«Accio?!.. esclamò volgendosi la fanciulla. Essa pronunciò quel nome con tale impeto di curiosità, di timore e di espansione, che il vecchio la guardò più fissamente.

«Accio!... rispose egli, farà senza delle tue visite. Oh lo so... proseguì Momus, che quando esci di casa per un pretesto o per un altro, vai a corrergli dietro!... ma la è finita una buona volta, per gli Dei!... e potrà essere frustato come io saprei frustar te, ora che ha un padrone anche quel poetastro buono a nulla. La vedremo se continuerete a far la commedia!...

«Povero Accio!... mormorò Nidia; e toltosi dai capelli il fiore che vi aveva appuntato, lo baciò senza degnare d'uno sguardo il vecchio mercante. Ne' suoi occhi era spuntata una lagrima. – Essa aveva tutto compreso. – Un debitore erasi impadronito di Plauto, e venuto ad una convenzione cogli altri, avevalo fatto cosa sua.

Come lei, egli pure era schiavo!...

Momus in faccia al sincero dolore della fanciulla, accontentossi di scrollar le spalle e si ritirò mormorando:

«La sarà almeno finita!....

CAPITOLO XII.

Quintiliano il Fornajo.

Diffatti così avvenne. Quintiliano macinatore di farine e fornajo, divenne il padrone del commediografo, che dai geniali convegni e dalle libere inspirazioni della fantasia, dovette passare ai faticosi lavori. – Dal teatro ove dettava leggi, all'obbedienza d'un padrone che poteva su lui adoperare la verga.

Era questo Quintiliano, uomo rozzo e brutale e la sorte dovette intestarsi per far proprio a Plauto uno dei suoi più brutti tiri, se lo fece capitare in tali mani.

Era destino che portato una volta alle labbra il calice amaro del dolore, il povero poeta dovesse berne a sazietà.

. . . .

Dei poeti, Quintiliano aveva sempre avuto una pessima idea e della poltroneria li sapeva amantissimi. Per tale motivo se anche il giovane cadeva sfinito a forza di lavorare, a lui pareva che quei suoi sfinimenti fossero smorfie per evitare un po' di fatica.

La casa del fornajo era quindi per Accio un vero inferno, e nella sua fantasia che non tralasciava di lavorare sognando commedie, anche quando girava la fatale macina, il burbero Quintiliano assumeva i mille aspetti di un demone.

«Se posso uscire di quà, pensava egli cercando riconfortarsi colla speranza, nella prima delle mie commedie ti acconcio come si conviene!...

. . . .

Avvenne che un giorno mentre il poeta sognava attori e palchi scenici, mentre lui ne era lontano, Quintiliano andò ad una rappresentazione.

Erano tornate in voga le Attelane ibride farsaccie con fantasmagorie e scostumatezze d'ogni genere.

Nel teatro, un immensa folla si agitava e domandava che si incominciasse la rappresentazione, facendo scoppiettare le dita, ed urlando.

Gli attori non incominciavano, ed i disegnatori incaricati di collocare gli spettatori e di mantenere l'ordine, incominciavano a non poter più contenere l'espressione di quella generale irrequietezza.

Alzavano essi invano la loro bacchetta bianca e se ne servivano per indicare i più turbolenti.

Questi, lungi dal sembrare vergognosi di quella pubblica riprensione, facevano maggior chiasso.

I raggi del sole che trovavasi a mezzogiorno, non potevano però per nulla incomodare la folla e dar ragione a quella loro importunità.

Una vela grandiosa tenuta distesa per mezzo di corde ed assicurata ai pali piantati all'intorno del coronamento dell'edificio, impediva al calore d'arrivare troppo vivo fino agli spettatori, e per mezzo d'ingegnose macchine questa vela era agitata in modo che produceva l'effetto d'un immenso ventaglio. Finalmente gli istrumenti musicali incominciarono a suonare. – Per mezzo di grossi ciottoli agitati entro un vaso di bronzo si imitò dietro la scena il tuono, ed i gridatori intimarono il silenzio.

Tutte quelle voci che scambiavansi parole impazienti, tutte le dita che scoppiettavano con un rumore quasi simile a quello che fa la gragnuola quando cade sui tetti, tacquero a poco a poco, e parve che fosse improvvisamente cessato il brontolìo d'un temporale.

Un attore vestito alla greca dopo aver salutato il pubblico a più riprese e camminando su alti trampoli, colle braccia allungate da lunghe maniche in fondo alle quali si movevano delle mani finte, e col volto coperto da una maschera colla bocca aperta, annunciò il prologo.

In questo fece un breve assunto della produzione che doveva rappresentarsi, – spiccò quattro salti, e scomparve.

Dopo lui si rappresentò la annunciata azione, con una specie di ridicola pantomima accompagnata da lazzi.

Erano così sconci quei lazzi, così osceni gli atti di quelle maschere, e la folla era così burlata per accarezzare le classi patrizie, che Quintiliano arrabbiatosi collo spettacolo incominciò a bestemmiare contro il teatro e contro tutti i poeti.

Uscì prima che la rappresentazione fosse finita e recatosi in una delle antiche taverne della città ove trovò qualche amico, vuotò una o due anfore di Falerno poi recossi a casa.

Era d'umore nero e mezzo ubbriaco, cosa che non gli accadeva troppo raramente.

Entrato nella sua bottega vide il giovane Plauto che girava la macina un pò lentamente perchè spossato dalla fatica.

Sgrettolavasi sotto essa il grano che doveva servire alla fabbricazione del pane per l'indomani.

Egli gettò sopra una panca il suo manto ed acerbamente rivolta la parola al giovane tirò giù una sfuriata di ingiurie.

«Asinio!... poltronaccio, incominciò Quintiliano, che hai tu fatto dacchè sono uscito?...

Non hai empito di farina che un solo sacco, e sì che avresti dovuto empirne due se invece di guardare le nuvole tu avessi macinato davvero.

Il giovane non rispose sillaba e asciugò col braccio nudo, le spesse gocciole di sudore che imperlavano la fronte, anzi con maggiore attività continuò il suo penoso lavoro.

Innanzi a quell'obbediente sottomissione non si acquietò però la collera dell'avvinazzato fornajo che imbestialì più ancora.

«E che?... riprese egli... per Ercole! non mi credi tu degno forse d'avere una risposta?...

«Cos'hai tu fatto da che lasciai la bottega per andare a vedere una di quelle sudicerie che scrivevi anche tu?...

«Quello che hai fatto già me lo immagino!... – ti sarai messo sull'uscio a vedere chi passava e ad ascoltare i pettegolezzi della gente – Dì che non è vero forse?... Quante volte tornando all'improvviso non ti ho colto a spiare ed a ridere alle spalle di quelli che tu spiavi!...

Plauto taceva sotto quella sfuriata, aspettando che l'uragano passasse.

«Per gli Dei!... gridò il fornaio più ancora invelenito, non so chi mi tenga dal romperti un bastone sul dorso e dal trattarti come lo stupido animale di cui tu fai le veci.

Credi tu forse asinio, o meglio asinaccio che sei!... di poter infinocchiarmi colle tue menzogne?... –

Sentitelo!... quest'animale!... Egli dice ai miei schiavi che la finirà colla sua miseria e che escirà di qui più onorato d'un senatore!... Egli crede che i più ricchi di Roma e persino i consoli verranno a festeggiarlo!... Egli!... forse per le belle sguajataggini che scrivi!... – A sentirlo lui si è rovinato per dei traffici!... ed è stato ricco!... – Ricco di debiti sei stato!... ed è perciò che t'ho comprato e sei capitato in buone mani!... gira!... gira la macina gaglioffo!... o per tutti gli Dei ti mando da Caronte a raccontargli le tue fole!...

– Quella lunga sfuriata aveva arse le fauci a quel devoto di Bacco, onde tolto un orciuolo pieno di vino ch'era in un canto della bottega, lo vuotò tutto in un fiato.

Nel posarlo s'avvide che tra le sacca di grano eravi un rotolo di papiri.

– Che Cerere m'ajuti!... sclamò egli: cos'è quello che veggo laggiù?... t'appartiene forse?... – Ah! ora sì che comprendo!.... tu scrivi miserabile!... invece di girare la macina!... ti trastulli calcando il papiro a mie spese!... Ma sta pur lieto che i tizzoni del forno faranno giustizia dei tuoi perdimenti di tempo!... – Per Plutone!... che bella fiammata che voglio fare o asinio dei tuoi memorabili scritti!...

Il fornaio presi i papiri erasi avvicinato al forno.

«Per gli Dei tutelari, esclamò il giovine lanciandosi verso l'avvinnazzato padrone, acceso d'ira e di dispetto, non li bruciare!... non li bruciare o per Giove tonante, tu avrai a pentirtene ne mi saprò render ragione di quello che farò.

«Io ti pago perchè tu mi obbedisca, strillava il fornaio vieppiù inferocito e fe l'atto di gettare nel fuoco i papiri.

Dagli occhi del giovane uscì un lampo d'ira; egli si lanciò sul fornaio e gli strappò di mano le carte.

L'ubbriaco cadde sopra un sacco di farina bestemmiando.

«Domani per gli Dei!... esclamò Plauto, io avrò pagato quanto tu spendesti per comprarmi e sarò libero!... sai cos'è questo che tu volevi distruggere?... è l'Anfitrione!...

«Il fornaio diede una sghignazzata, fe per alzarsi ma le gambe non lo ressero, ricadde e poco dopo dormiva.

Il giovane uscì - Quando fu sulla via respirò a pieni polmoni l'aria tiepida. - Era quasi sera - egli era stanco ed aveva fame. - Per gli Dei!... disse egli, bisognerà bene che mangi!... per passar la notte, il portico d'un tempio mi basta... e domani!... Un onda di speranza gli allargò il cuore... Sì! sì!... riprese egli, perchè imprecare contro gli Iddii che hanno forse voluto provare la tempra della mia anima!... non sono forse ricco io?... Se il mio corpo è coperto da una lacera vesta, non ho un opulenza che altri non ha? quella della mente?... Tre tesori stanno in me – la giovinezza!... la salute e la poesia!... dunque sieno di ciò grazie agli Dei... Egli gettò uno sguardo all'Anfitrione che aveva messo tra le pieghe della sua tunica e si trovò felice...

Vidde in quel momento venire verso lui un uomo a cui molta gioventù testimoniava onoranza e rispetto.

Non avea mai veduto Catone, ma ne aveva inteso parlare e per un intuizione del cuore egli indovinò che doveva essere lui l'austero cittadino.

Il momento era decisivo, ed il domani sarebbe presto arrivato. Per farsi accettare di nuovo dagli edili, aveva bisogno d'un appoggio.

«Salute a Catone, disse egli arrossendo e nello stesso tempo sentendosi fiero di volgere la parola all'uomo di cui tanto ammirava l'ingegno e la onestà.

«Salute anche a te schiavo, rispose Catone.

«Non schiavo, riprese il giovane, ma figliolo d'un liberto e cittadino romano.

«Salute dunque a te, figliuolo d'un liberto e cittadino romano, replicogli Catone col suo tuono burbero, e fe' l'atto di passare innanzi.

«Catone, mormorò con debole voce e tutto tremante Plauto. - Il cittadino romano ha fame.

«Il cittadino romano non sa guadagnare il suo pane col lavoro? domandò austeramente Catone.

«Il cittadino romano lo sa guadagnare, ma è fuggito dalla bottega in cui lavorava perchè fu crudelmente malmenato, e perchè il mestiere di fornajo non gli piace... Catone!... riprese infine con voce supplichevole, ho bisogno di tornare al teatro... ho terminato l'Anfitrione!... fammelo vendere agli edili... sono Plauto!...

«Plauto! sclamò Catone gettando uno sguardo benevolo sul giovane infarinato... tu hai scritta mi pare qualche commedia!...

«Sì, ma non mi accontentai d'esser poeta e volli mercanteggiare. Gli affari mi andarono male e fui comperato da un fornajo poichè dopo la mala riuscita d'un mio lavoro gli edili non vollero più saperne delle mie commedie.

Catone rise. «E come la facesti col tuo padrone? domandogli.

«Per carità non me lo chiedere. Basti il dirti che avendo scoperti fra i suoi sacchi questi papiri, voleva gettarli nel forno. Io mi slanciai allora su lui poichè era ubbriaco e gli ritolsi i papiri. Fuggii dopo ciò e domani voglio pagargli la somma che egli spese per comperarmi...

Catone trasse dalle tasche alcuni sesterzj e li diede al giovane.

«La credi buona la tua commedia? gli domandò poi.

«Forse la mia migliore, rispose Plauto colla franchezza del genio.

«Domani vieni da me!... Gli edili la finiranno colle Attelane!... e daremo l'Anfitrione!...

Plauto ne baciò la veste con fervore.

«Cittadino, buona cena... gli disse Catone allontanandosi.

CAPITOLO XIII.

L'Anfitrione.

L'indomani tutto fu concluso. L'Anfitrione comprato dagli edili insieme ad altri due suoi lavori, permise al giovane di gettare in faccia al Fornajo il prezzo che egli aveva sborsato per comperarlo.

Al vederlo arrivar da lui con un bello e pesante sacchetto di sesterzi, il vecchio si domandò se nella notte quel miserabile si fosse permesso di commettere qualche assassinio, e quando Plauto gli disse che dai papiri che voleva abbrucciare, ricavò tanto che gli restava ancora più del doppio di quella somma, credette di strabigliare.

Plauto non si curò gran fatto della sua sorpresa ed uscì felice di sentirsi libero e ridonato alla scena, la qual cosa quando ripensava a quello che era jeri, parevagli ancora un sogno.

. . . .

Occorrevano le feste di Saturno celebratissime in Roma, ed istituite dal favoloso re Giano dopo che Saturno scomparve dalla terra. Erano giorni di baccanale nei quali gli schiavi deponevano la marra, le schiave cessavano dai loro lavori, ed ognuno votavasi agli Dei!... Regnava in Roma sovrana assoluta l'orgia. – Durante quelle feste tutti erano liberi e ciò facevasi per rendere un omaggio all'aurea età del regno del tanto acclamato Saturno dove era tradizionale la credenza che l'uguaglianza tra servo e padrone vi regnasse senza distinzione alcuna.

Ai servi persino era concesso di comparire per le vie in abito di liberi cittadini ed erano qualche volta serviti dai padroni stessi. È bensì vero però che finite le feste riserbavansi questi il diritto di frustarli per ricordar loro come quella libertà non fosse che una burla.

Per quanto questa fosse la cruda realtà, questi brevi istanti di riposo e di baldoria erano aspettati con ansia, ed accolti con entusiasmo.

Qualche volta, persino i colpevoli erano rilasciati in libertà e nel tempio di Saturno portavano in voto le loro catene.

La città tutta non echeggiava che d'un grido:

Io bona Saturnalia – Io bona Saturnalia!...

Si mangiava e si beveva. – Invitavansi amici, – visitavansi i parenti e scambiavansi doni. – Ai fanciulli donavansi delle figurette come si usa oggi da noi nel dì della Befana.

Ogni affare così pubblico che privato era sospeso – non incominciavasi guerra, nè davasi battaglia, nè infliggevansi castighi ai colpevoli.

. . . .

L'Anfitrione di Plauto fu dato in mezzo al chiasso delle feste saturnie e vi fu accolto con entusiasmo.

Egli pose con quel lavoro suggello alla sua fama e da poi le sue commedie furono salutate da tali applausi che come dice Bakr pochi furono i poeti comici che ebbero maggior fortuna.

Durò diffatti tanto tempo il teatro di Plauto sulle scene Romane, che fino al secolo di Cicerone e di Augusto si diedero molte sue commedie.

Probabilmente si continuarono ancora, giacchè a Pompei si è trovato un biglietto o (Tessara) d'ingresso per la rappresentazione della Casina la quale deve avere preceduto di poco la distruzione di quella città (79 d. c.).

Momus che aveva volte le spalle al povero poeta, quando la fortuna gli arrise di bel nuovo, non si lasciò troppo pregare a fargli buon viso... tanto più che egli aveva tanti sesterzi da poter comprare anche Nidia la quale non chiedeva di meglio.

Il mercante infatti gliela vendette ed Accio si trovò un bel giorno cinto il collo dalle leggiadre braccia bianche come il marmo, della cara fanciulla, che gli ripeteva con tutte le inflessioni della espansione: Ti amo!

. . . .

. . . .

Al Poeta cui sorride la gloria! sorride l' amore!...

L'amore questa vita dell'anima!...

Plauto era Boeme!... come Shakspeare, come Tasso, come Goldoni!... come tutta quella infinita schiera di uomini la cui vita fu un continuo passaggio dai sogni della gloria alla realtà dei bisogni e che a palmo a palmo dovettero misurare la strada percorsa fra i mille ostacoli dell'egoismo altrui e della miseria propria, ma con un'arma invincibile, il pensiero! – con una potenza... la fede del loro ingegno!... – con una necessità nell'ordine della loro vita – il disordine!

Riguardando dietro la via corsa, pensando a quella che gli resta da compiere, correndo dietro colla mente ai mille sogni della fantasia, mi piace idearmi il poeta romano seduto sovra una delle più alte gradinate d'una basilica. Egli è rientrato da una delle porte della città, e Nidia stanca gli appoggia il capo sulle ginocchia. Essa si è addormentata pensando al suo amore!... Egli ha sentito fremere dolcemente il suo corpo... e nei loro sguardi che si sono incontrati, leggesi una infinita sensazione di contento!...

La brezza della sera aleggia intorno alla fronte dell'addormentata e passa su quella ardente del giovane.

Una dolce penombra li circonda – la luna è coperta da qualche nube, ma curiosa di vedere quel quadro, mette fuori il capo, e avvolge quei due coll'argenteo splendore del suo raggio.

Quale spettacolo imponente sta intorno al poeta, mentre egli stesso è una specie di poetica immagine che si fonde col grande e pittoresco quadro!...

Sul suo capo il cielo!... al suo fianco Nidia. Nidia! vale a dire l'amore della fanciulla colle sue estasi, l'amore della romana colle sue voluttà. – Intorno a lui Roma!... un'epopea di memorie!... la grande anima del mondo... la stupenda figura dell'arte...

Roma dalla rupe Tarpea al Campidolglio... dagli archi di Tito alle colonne di Trajano. Dal tempio di Giano a quello di Vesta!... dal foro d'Augusto a quello di Giulio... dai Rostri alla via Sacra... da Scipione a Cesare... da Fidia a Michelangelo...

. . . .

Secondo le accurate indagini di Ritschl De aetat Plauti il poeta sarebbe morto nel 569 di Roma e la sua nascita cadrebbe nel principio del sesto secolo.

Gelio ne dà l'epitaffio da Plauto stesso composto.

(28) Lindemann. – Vex De Punichcæ linguæ.

(29) Matrit 1828.

(30) Plinio cita alcuni versi di questa commedia deboluccia a petto delle altre. Ladewig la pone nel 197, a. C. – Egli la contrappone al Rudens quali esempi, di soggetti greci, di commedie greche raffazzonate in quella più liberalmente, in questa più servilmente; il Trinummus a detto di Ritschl non potè essere rappresentato prima del 559 di Roma.

(31) Anche di questa commedia che altri volle attribuire all'ultimo periodo della vita del poeta, Testo cita alcuni versi ma sotto altro nome.

(32) Becker stima che questa commedia assieme al Psæudolus al Miles Gloriosus ed ai Captives, sia la più bella di Plauto.

(33) Così opina Wolffprolegomeni ad Plauti Alulul. p. 34.

(34) Cicerone de senect 14 paragrafo 50.

(35) V. paragrafo 50 Cicerone.

(36) Granet – Dæ Colacæ Nevi et Plauti fabula.

(37) Vedi paragrafo 50 Cicerone.

(38) Anche Liutprand – negli Antapodas toglie da questa commedia il suo Jupiter quadratus.

(39) Romanelli Viaggio a Pompei.

FINE.

RIBELLIONE

VERSI

AL

NEGUS D'ABISSINIA

ED A

RAS – ALULA

DIFENSORI

DELLA LIBERTÀ AFRICANA

D. D. D.

Lugo il 26 Febbraio 1887.

Non sono io il colpevole – giova odiare i cattivi consigli – resti ognuno a casa sua.... –
saremo amici.... come prima....

RAS – ALULA

PREFAZIONE

Questi pochi versi.... sono una protesta, non un'opera d'arte.... Se i lettori li troveranno scritti meno male, l'arte c'entrerà anch'essa.... ma come un di più.

Inneggio alla morte – non a quella inutile che trovarono e troveranno i nostri, nei deserti affricani, ma a quella proficua.... che mietendo le vite.... ultimo sostegno al logoro tronco di questa Europa decrepita.... preparera l'avvenire.

Inneggio ai sudanesi che hanno lottato contro l'Inghilterra e vinsero; parteggio per gli Abissini che vinceranno. Fui per i Zulú – fui per i Tonchinesi – sono per chiunque combatte in difesa della propria indipendenza.

La conquista non è che un aggressione; – se ammettete il diritto della forza... perché imprigionate Lagala?...

Napoleone I° non è che un ladro d'Imperi – Lagala uno spogliatore di diligenze – Uno ha lo scettro – l' altro il trombone – Uno il trono – l' altro un antro. – Due arnesi.... e due posti.

*

Pubblico questo Volume, mentre l'Italia è trascinata in una politica che l'onorevole Presidente della Camera, vuole che la si dica.... di Avventure; per me è di crimini.

A chi lo legge, parrà che qualche volta io scherzi – non scherzo.... mi ribello, – colpisco tutto e tutti, perchè.... anche il pensiero ha le sue battaglie.

Madri Italiane piangono qui... i loro morti, li piangono fidanzate e sorelle.... Laggiù.... piangono sui loro morti, madri, fidanzate e sorelle Abissine. Non c'entra la patria – c'è il carnaio.

Inchiniamci riverenti dinanzi ai Morti; non insultiamoli con un Cancan di apoteosi. – L'Italia non c'entra, come ben disse Andrea Costa, facendo sentire lassù... fra quel branco di ranocchie gracchianti, la libera voce d'un cittadino libero. –

Lasciamoli in pace, quei poveri morti!... sorpresi prima forse ancora che potessero difendersi, da un nemico venti volte maggiore di numero e che aveva il diritto d'uccidere, mentre noi non avevamo quello di aggredirlo.

Nella lotta lo si sa, si uccide per non essere uccisi – la brutalità impera – la legge è suprema – ma la bandiera, la patria.... lascietela stare!

Noi gli aggressori – essi gli aggrediti – chi si batteva ira nome del diritto, erano quelle falangi di barbari... – e fu per essi – come doveva essere per essi, la vittoria.

Non parliamo di glorie!... non andiamo superbi di uccisioni... che se avvenute, furono un delitto – chiniamo la fronte e che i fatti insegnino!!!

*

Fatalmente.... nulla insegneranno. I nostri si batterranno ancora, eroicamente si batteranno.... e poi? Che avranno fatto? Nulla!

Gli abissini avranno dei morti di più; – noi.... dei morti di più.... ed il mare per tornare indietro.

Parole sprecate lo so.... che importa? – Peggio per essi.

ULISSE BARBIERI

Alla Morte!

INNO.

Inneggio a te, invincibile, serena,

Livellatrice d'ogni orgoglio umano;

Inneggio a te... che a questa ridda oscena,

Cui la ragion tenta por freno invano,

L'irromovibil meta

Segni, e falciando stermini....

Inneggio a quella quieta

Pace che dietro a te ove passi apporti;

Uccidi!... uccidi!... abbiam bisogno ancora,

Perchè dell'avvenir splenda l'aurora,

Abbiam bisogno ancor.... di nuovi morti!

*

Il vecchio mondo rantola.... e le giovani

Anime fremon; – caldo soffia un alito

Che diverrà bufera; – son rachitici

I vecchi tronchi e ormai foglie ingiallite

Che sembran morte, da ogni pianta germina....

Abbatti i tronchi.... ed alle nuove vite

Da forza tu... noi l'avvenir vogliamo...

Vogliamo i sogni della mente fervida

E te Morte.... invochiamo!

*

Squarcia l'aratro il seno al suolo vergine,

E rinascon le messi verdeggianti.

Lucide e balenanti

In faccia al sol, le falci i campi mietono....

Ferro è la vanga e il vomero,

E ferro sia... che dentro alla putredine

Di questo corpo infetto caccieremo...

Il bel ferro lucente... e poi... te pronuba,

O morte... All'avvenir inneggieremo!...

Pel Sudan.

AGOSTO 1885.

Forti negri del Sudan sterminate!...

La vittoria vi arrise – avanti!... avanti!

D'Indrà e di Belial tuonino i canti

E il vessillo dei liberi innalzate.

Lo disse il vostro duce a cui l'Europa

Schernì ghignando in faccia,

Che son forti le braccia

Benchè di lancie armate...

E i petti eroici che si fan baluardo

Al fulminar delle mitragliatrici...

Forti negri del Sudan sterminate!...

*

La nostra civiltà!... che ne fareste?...

È un putrido miasma che assopisce

Quanti ha slanci il pensiero – è infetta fogna

Che tutto ammorba, e toglierebbe al cuore

Anche i palpiti suoi...

Come distilla il polline del fiore.

*

La nostra Civiltà... è l'adulterio

Che non ammette le revolverate;

La nostra Civiltà son le manette

Che ai polsi dei ribelli,

Ribelli come voi sono serrate;

È il trionfo vigliacco degli imbelli

Che vincon ricevendo scudisciate....

La nostra Civiltà... son le galere,

Le galere che ancora non avete...

La nostra Civiltà se nol' sapete

È tal che... guai a voi!... se la provate.

Meglio le vostre tende... ed il deserto...

Vasto ed interminato...

Alle officine ove il sudor che gronda

Da fronte d'operai... non è pagato!!!...

*

Vendon da voi gli schiavi?... qui si vendono

Ministri, deputati,

Preti, spie, governi, magistrati,

E son essi che san mettersi all'asta...

Irridendo alle voci che spasmodiche

Lor gridan..... basta!!!...

Anche il Simun su voi turbina e passa,

Ma è soffio – mentre quì... le gran sequele

Son delle infamie tanto interminate...

Più dei vostri deserti...

Avanti!... Avanti!...

D'Indrà e di Belial tuonino i canti

Forti negri del Sudan sterminate!...

Prima di Saati.

Robilant chiamò ladro RasAlula

E disse che un ladron per nulla conta...

Frase per frase... ed a moneta pronta...

RasAlula può dir... picchiando poi...

Che i ladri... i veri ladri... siamo noi!

Dopo il disastro.... a chi va....

No, non è patriottismo, no, per Dio!!!

Al massacro mandar nuovi soldati,

Nè tener là... quei che si son mandati

Perchè dei vostri error paghino il fio!

Ma non capite... o branco di cretini...

Che i patriotti... sono gli Abissini?...

Affari di Borsa.

Dal 105 è già scesa al 90!...

Gridano i borsaiuoli spaventati,

E fallirà la borsa tutta quanta!...

Urlate pure o ladri patentati,

E scenda pur la borsa... scenda ancora!

Più vanno borsaiuoli alla malora,

Più rinasce la fede... universale

Che aspetta un fallimento generale.

Esultiamo!...

«Oggi i ladri si associano ai ladri
Questa orrenda novella vi dò.»
(contraffazione Manzoniana).
Debebb e Kaffi.... i due grandi predoni
Coi nostri... di laggiù... sono arruolati,
Ladri siam noi... essi son due ladroni
Ed è giusto che a noi sieno associati.

A Saati.

Laggiù... lontan... lontano... fra gli spasimi

Delle orrende agonie... cupo s'asside

Spettro fatal la morte; – s'odon rantoli...

Là... da laggiù venir – ma il vecchio ride.

Alla Camera

Poche... ma pur solenni le proteste

Mentre il ministerial codazzo, urlante....

Orrido mostro dalle cento teste

con più s'infama è ognor più tracotante!...

Vittoria Abissina.

I loro morti... li han portati via;

Jene e Sciakalli i nostri han divorati...

Questa... è la prova sola che vi sia,

Per affermar che fummo i bastonati.

Ritirata

Zula, Saati, Arafalì, Monkullo

Uaa ed il resto... han tutto abbandonato;

Credettero d'andarvi per trastullo...

Ma un conto fecer... che non è saldato.

*

Poveri morti!... e povera bandiera!...

Non sventolante... tutta impolverata,

Fuggiaschi entro Massua l'hanno portata,

Dentro Massua... la nostra gran sorciera!!!

Nuove Partenze

Inni ed Urrah!... a chi parte... e perchè vanno?

Quale causa a difendere?... qual dritto?...

A uccidere Abissini?... altro delitto...

Che al primo già scontato... aggiungeranno.

In Viaggio

Caldaje rotte ha la Città di Genova

Il Giava... ha rotto l'elica....

E a Massaua ci mandano gli Alpini....

Come devono rider.... gli Abissini!!!!...

Vergogne... Italiche!...

Adoperano i morti di Saati

Onde puttaneggiar vigliaccamente

Coi preti o colla chiesa

Quella chiesa... che ha già scomunicati

Tutti i nostri caduti eroicamente,

Della patria comun per la difesa.

*

In ogni chiesa oggi s'accendon moccoli...

E fumano gl'incensi nei turriboli...

Inni bugiardi elevansi...

Bugiardi incensi fumano...

Son morti... che al macello fur mandati...

E senza gloria... cadder massacrati.

Invocazione.

Picchiate ancora, e ancora.... e ancor picchiate....

Buoni Abissini.... almen voi ajutateci.....

Quasi convinti siam d'averle date.....

Per convincerci meglio.... massacrateci.

*

Dopo aver detto ciò più nulla dico....

Le prendano o le dian.... tanto vale!...

Se ne fanno una gloria Nazionale....

In quanto a me..... non me ne importa un fico!

VERSI NON AFRICANI

Buchi... nel vino...

Un arresto, un processo, una condanna.....

È tutto ciò che v'ha di più gradito.

Si esce con maggior... dose d'appetito,

E di quello che fu... chi mai s'affanna?...

*

Le manette, son ninnoli... graziosi...

Le carceri... son luoghi... di piacere,

I processi... son meeting rumorosi,

E dentro... e dopo... si continua a bere...

Napoleone III.

Ascese al trono coll'infamia prima

Fu infame sempre – s'infamò morendo...

Ereditò l'infamia anche nascendo,

E infamia è il bronzo che oggi lo sublima!!

I Funerali di Minghetti

L'hanno sepolto già – Splendeva il sole....

C'eran musiche, fiori por le vie

Un turbin rumoroso di parole

Che a ridirlo non bastano le mie,

Passò la gente colla banda in testa....

E il funerale... a me sembrò una festa!..

È morto Finzi!..

D'un calunniato il pallido sembiante
Gli deve essere apparso all'ora estrema;
«Fosti vile...» gli disse, e sogghignante
Lasciollo in preda all'agonia suprema.

Quarta Elezione Cipriani

Non avvisi – non meeting – non rumori...

È morto!... di questura i fogli gridano

Ed alla quinta ancor più strilleranno....

Ma i questurini che gli avvisi stracciano

Lo cercano sui muri e non lo sanno....

Ch'esce dall'urne per ch'egli è nei cuori!...

Assassinio Fieschi...

Passando da Cremona

O perchè hanno daga i questurini?...

Tutta la colpa è sol dei Cittadini

Che si fanno ammazzare,

Perchè mai non li sepper rispettare.

*

C'è l'ordine o non c'è ?... C'è... e ci dev'essere!!!...

Anzi.... resta provato....

Che con più un cittadino è turbolento,

S'acquieta sul momento... quando è ben ammazzato.

*

Che cos'è questa smania di volere

Che si tratti da noi come assassino,

Un bravo questurino

Che ha fatto il suo dovere?

*

Così pensa là.... nelle serene

Sfere.... di quelli che la pensan bene....

Anzi tanta daranno a lui ragione,

Che oltre l'assoluzione,

A lui rendendo l'onorata daga

Con aumento di paga....

Un'altra volta.... se il momento c'è

Lo pregheranno d'ammazzarne trè!

Per la mina che doveva far saltare

la sala da pranzo

del palazzo imperiale di Pietroburgo.

Quanto chiasso si fa per una mina....

E proprio.... ad ogni costo!...

Eppur di farne tanto... qual v'ha duopo?.

Se l'atteso... a pranzar non era a posto...

Dovea scoppiar... dieci minuti dopo!!!..

Per il varo della "Morosini."

Enorme Mastodonte.... la cui pancia

È gonfia.... di Milioni – che sarai?

In mare un punto nero – e se ti lancia

Contro uno scoglio un colpo sol di vento,

Un mucchio di rottami diverrai.

Frangiti pur... noi non sappiam che farne

Di mostri come te... meglio è disfarne!

Crisi?... – Rimpasto?... – I nuovi, o gli altri?...

Nulla faranno che non sia bestiale....

Avrem.... quel che avevamo e nulla più....

Nel fango grufuliam come il majale....

E nulla muterà da ciò che fu!...

Alla Romagna

Fortemente volesti.... e dai volenti

Ogni diritto si afferma se indomabile

Sta la fede nei cor.

Osa!... puoi tutto...

I figli tuoi coperte hanno di lapidi

I cimiteri, dove amor di patria

Li riuniva in un comune amplesso,

Morti.... eppur vivi ancor, nelle memorie

Delle vinte battaglie.

Ad un tuo figlio...

Che anch'ei... quelle battaglie ha combattuto,

Le altre.... anelando....

Per le non compiute....

Ch'egli sognava.... il piede incatenarono,

E gl'impressero in fronte il marchio infame

Del galeotto..... – un numero

Ne hanno fatto.... che importa?..

è una divisa

Anche la sua casacca... e negli ergastoli

Si temprar le forti anime che han dati

I polsi ai ferri e il capo alle bipenni.

Numeri son... migliaia son di numeri...

Che oggi in nome suo... vincono altre...

Titaniche battaglie.... Tu volesti...

Volesti... e ancora... e ancora e ancor... volesti.

Ma dopo i voti... più t'incombo un obbligo

Forte Romagna –

In te resti la fede...

E se ancora ti stracciano le schede

Restano altre Armi....

E venga il peggio!...

Le catastrofi dei governi, sono la fortuna dei Popoli.

Milton Keynes UK
Ingram Content Group UK Ltd.
UKHW050913260923
429409UK00010B/673